Rítmica

EQUIPE DE REALIZAÇÃO

Revisão
José Eduardo Gramani
Maria de Lourdes Martins
Gisele Ganade

Capa
H. Fiaminghi

Programação Visual
Plinio Martins Filhos

Produção
Ricardo W. Neves
Sergio Kon

José Eduardo Gramani

RÍTMICA

Dados Internacionais
de Catalogação na Publicação (CIP)
(Câmara Brasileira do Livro, SP, Brasil)

Gramani, José Eduardo
Rítmica / José Eduardo Gramani. – São Paulo Perspectiva, 2013.

1. reimpr. da 4. ed. de 2010
ISBN 978-85-273-0184-8

1. Música - Métrica e ritmo 2. Música - Estudo e ensino I. Título.

04-6681 CDD-781.224

Índices para catálogo sistemático:
1. Rítmica : Música 781.224

4ª edição – 1ª reimpressão
[PPD]

Av. Brigadeiro Luís Antônio, 3025
01401-000 São Paulo SP Brasil
Telefax: (11) 3885-8388
www.editoraperspectiva.com.br

2019

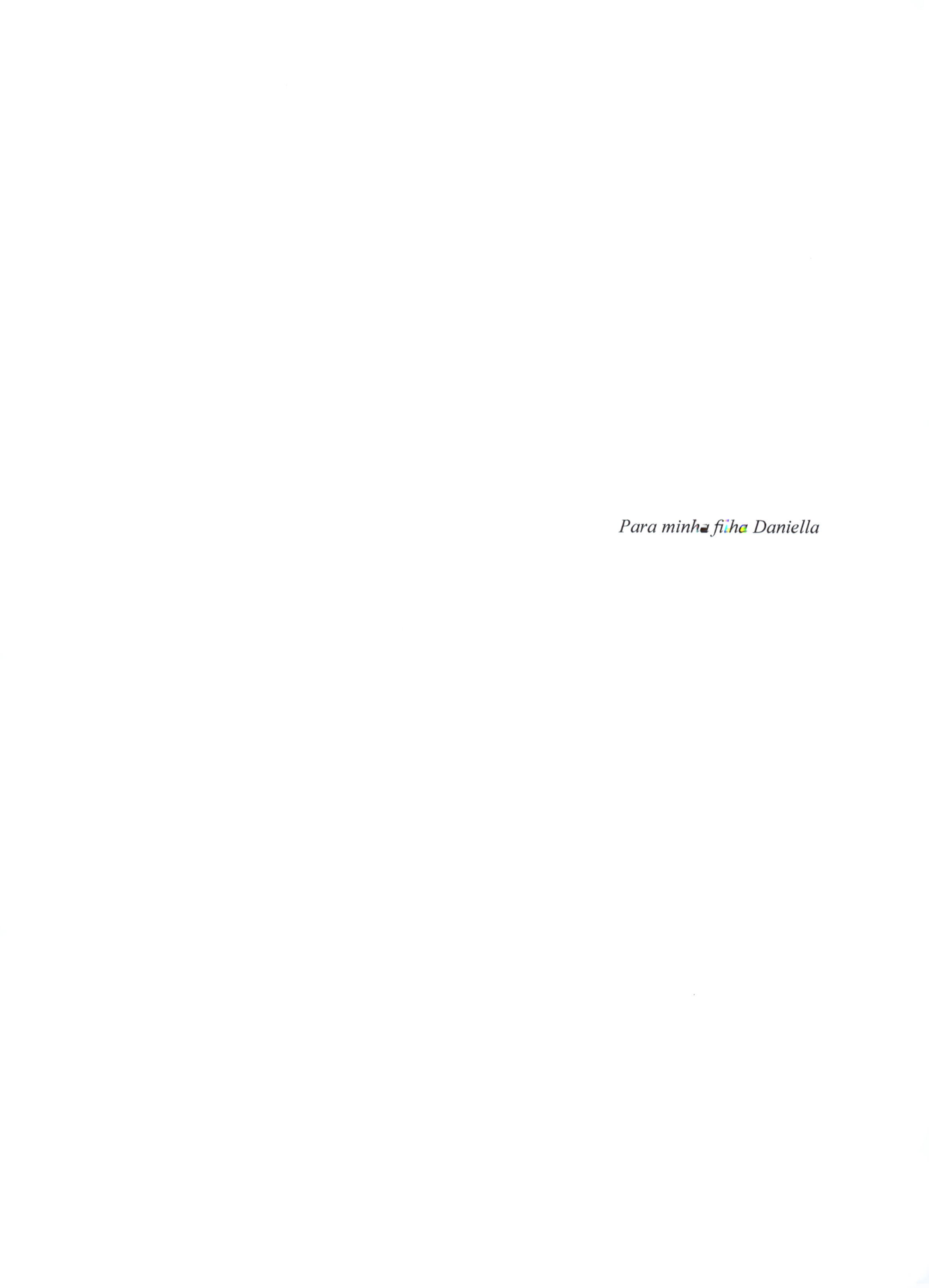

Para minha filha Daniella

Sumário

Introdução

O ritmo em nosso ensino tradicional é considerado um elemento eminentemente matemático; se conseguirmos somar 2+2 saberemos executar um ritmo. Esta ideia, além de representar uma realidade parcial do fenômeno rítmico, colabora para que o mesmo se distancie muito do discurso musical, ocupando um lugar de pouca importância no estudo da música.

O objetivo deste trabalho é tentar trazer o ritmo musical mais próximo de sua realização total, tentar colocar o ritmo realmente como um elemento MUSICAL e não somente aritmético.

Partindo de uma análise tosca, superficial, do ensino do ritmo tradicional, poderíamos talvez compará-lo com a Harmonia. As relações entre as vozes são verticais. O ritmo é relacionado diretamente com os tempos do compasso e normalmente subordinado aos tempos, gerando muitas vezes descaracterizações no âmbito musical (por ex. síncopas mal executadas, subordinadas ao tempo forte, quiálteras alargadas, pontuações defeituosas etc.).

A ideia que aqui apresento tem relação muito mais com Contraponto do que com Harmonia. Apesar de existir aquela relação vertical, sem a qual não haveria possibilidade de uma perfeita medição das durações, a frase rítmica não se subordina ao tempo; ela acontece sobre ele, horizontalmente, conservando assim suas características básicas.

Para que isso aconteça é necessário que se acione no músico uma série de funções básicas que normalmente se encontram adormecidas, fato resultante do estudo baseado no aprendizado pela repetição e automatização.

É preciso acionar sua capacidade de concentração, normalmente pouco requisitada, e que neste processo tem função de base, geradora que é de toda e qualquer possibilidade de modificação de atitudes, permitindo o "descondicionamento" dos reflexos e possibilitando uma realização musical consciente.

É necessário que se ative a atenção ramificando-a em várias vias, quantas forem necessárias e graduando-as de acordo com a maior ou menor dificuldade da tarefa proposta. Isto possibilita ao músico vencer "desafios aritméticos" através da sensibilidade musical.

É preciso ativar a criação de novas associações, fruto da dissociação das já existentes, gerando maior consciência na utilização de movimentos, gestos e atitudes.

Finalmente é necessário que a capacidade analítica e associativa do músico seja muito requisitada, visando conseguir uma visão global do acontecimento musical. Sentimos melhor o todo se temos consciência das partes que o completam, cada uma delas com sua personalidade. Somente assim é possível gerar um todo fruto de uma soma de características, muitas vezes contraditórias, que resultará em uma realização muito rica musicalmente.

Os exercícios anexos foram compostos tendo como preocupação básica trazer à tona a face musical do ritmo. Estes exercícios não são um fim e sim um MEIO através do qual muito pode se desenvolver, principalmente os aspectos de disciplina interior e flexibilidade de adaptação da atenção a novos tipos de associações ou relações. Quando o exercício já estiver sendo bem realizado já deixou de ter sua função, pois os problemas que dificultavam sua realização já foram solucionados através de processos interiores de associação e dissociação. O desenvolvimento destes processos é que é o FIM.

O objetivo dos exercícios, pois, é que funcionem como veículo para que tais processos possam chegar à nossa sensibilidade.

Normalmente temos um lado predominante no nosso corpo, direito ou esquerdo. É lógico que fica mais fácil realizar um exercício baseando-se nesta predominância. Porém se o exercício for realizado somente da maneira mais cômoda ele não será bem aproveitado. Deve-se trabalhar exaustivamente as inversões das vozes para que se possa criar oportunidades de novas associações acontecerem, ao mesmo tempo em que a sensibilidade MUSICAL é cada vez mais solicitada.

Tomemos como ilustração o exercício SÉRIE 2-1, nº 3, na 3ª fase. Ele estará acontecendo assim: a série sendo cantada, a sequência de valores iguais sendo batida por uma mão e as colcheias da série recebendo acentos de regência com a outra mão. Se você estiver batendo a sequência com a mão esquerda e regendo os acentos com a mão direita, inverta estas duas vozes e as relações estarão invertidas, exigindo algum trabalho para que as novas associações se realizem com naturalidade. A procura destes novos problemas é que vai enriquecer o estudo de rítmica. Se o exercício é realizado somente com a intenção de cantar a série e bater a sequência, como está escrito, não vai passar de uma demonstração de virtuosismo rítmico, sem nenhuma profundidade.

A maioria dos exercícios deste livro foi construída explorando a contraposição de elementos rítmicos irregulares a sequências rítmicas regulares. Portanto fica difícil medir as durações utilizando-se somente de medidas aritméticas. É necessário lançar-se mão da sensibilidade musical para que esta, agregada ao raciocínio aritmético, possibilite uma realização MUSICAL dos exercícios.

Em linhas gerais, os exercícios foram construídos segundo as seguintes ideias:

- série rítmicas contrapostas a ostinatos
- decodificação de células rítmicas em estruturas de pulsações e contraposição a marcações regulares em subdivisões diferentes
- motivos rítmicos em compassos 5 e 7 contraposto à marcação de tempo regular

- explorando subdivisão binária em contraposição à subdivisão ternária
- explorando subdivisão ternária em contraposição à subdivisão quaternária
- alternância de compassos contraposta a movimentos regulares
- “melodias” rítmicas contendo mudanças de compasso, contrapostas a ostinatos rítmicos

Séries

Os números que dão nome à série indicam a relação entre os valores utiliza dos, por ex.: série 2-1, relação de 2 para 1; se tomarmos a semicolcheia como unidade, a colcheia será 2, o dobro.

A série compõe-se de três períodos, tendo cada período quatro estruturas. Tomemos como exemplo a Série 2-1 (colcheias e semicolcheias). Nos 4 primeiros compassos que compõem o primeiro período a colcheia se mantém, e acrescenta-se uma semicolcheia por compasso:

2-1 / 2-11 / 2-111 / 2-1111

No segundo período fixam-se duas colcheias em cada compasso:

22-1 / 22-11 / 22-111 / 22-1111

e finalmente no terceiro período, três colcheias:

222-1 / 222-11 / 222-111 / 222-1111 //

Como consequência deste tipo de construção rítmica, os compassos se alteram progressivamente resultando uma ideia musical formada por uma sequência de estruturas diferentes entre si quantitativa e qualitativamente.

A ideia musical da série, porém, só é atingida se, na sua execução, a personalidade individual de cada uma destas estruturas for respeitada. Em outras palavras, respeitar a acentuação natural de cada célula rítmica. Os apoios recairão, assim, sempre sobre as longas.

É importante saber como é construída a série pois isto possibilita a rápida memorização da mesma. Basicamente você deverá trabalhar a série de memória.

Como Realizar

– cantando e batendo palmas (inverter)
– batendo palmas e pés (inverter)
– com instrumentos de percussão
– ao piano etc.

Como Estudar – 1ª Fase

A SÉRIE

a) estude pensando na sua construção (2-I / 2-II etc.); é bem fácil a memorização.

b) cante a série e bata palmas em todas as longas junto com a voz (por ex., no exercício série 2-I, bater palmas nas colcheias). Estas palmas irão corresponder aos apoios musicais de cada estrutura.

Eis aqui a realização ideal da série, utilizando sinais de dinâmica:

Como Estudar – 2ª Fase

A SÉRIE E A SEQUÊNCIA DE VALORES IGUAIS

a) cante a série (voz superior) e bata uma sequência de valores iguais com a mão (sequência de colcheias, colcheias pontuadas, semínimas etc. – voz inferior). Marque esta sequência batendo a mão sobre a mesa, na perna etc.

A partir desta fase do estudo é necessário que se tome muito cuidado para não se cometer pequenos enganos que possam comprometer a boa realização musical do exercício.

Cuidado: não modifique a acentuação da série (V. Fase I – ex. b) em função da sequência que você estiver batendo na voz inferior. Os acentos principais recairão sobre as longas. Os grupos de curtas poderão receber um acento secundário, sempre na primeira curta de cada grupo.

b) não subdivida a longa que você estiver cantando em duas ou mais partes (Ex. Ta-á). Não deve haver subordinação entre a voz superior e a inferior. Cada voz deve ter sua própria "personalidade", independente da outra. As duas vozes acontecem *paralelamente*, são duas linhas horizontais.

Pense em termos de harmonia e contraponto:

Harmonia – blocos de sons (acordes) relação vertical entre os sons.

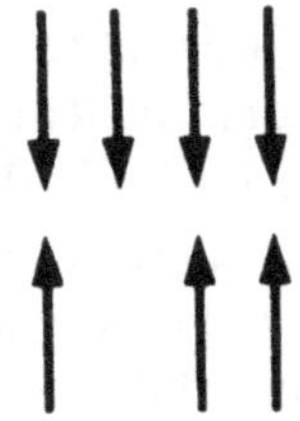

Contraponto – linhas melódicas independentes, caminhando no mesmo sentido, formando um todo em que cada voz mantém sua autonomia.

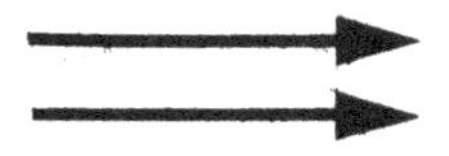

O nosso exercício é contraponto e não harmonia.

Esta fase é a mais problemática no estudo das séries, é a que exige mais disciplina interior. Separe sua atenção em duas porções. Distribua estas porções como sentir mais necessário, mais atenção para a série ou para a sequência. Se você sentir que está realizando a sequência "automaticamente" não faz mal algum, desde que você não esteja subordinando a série a ela.

Quando estiver realizando o exercício comodamente, faça uma experiência traumatizante: inverta tudo – *conte* uma sequência de valores iguais e *bata* a série.

Como Estudar – 3ª Fase

A SÉRIE, A SEQUÊNCIA E OS ACENTOS

Será esta a fase mais problemática?

Cante a série, bata a sequência de valores iguais com uma das mãos. Com a outra mão marque *todas as longas da série* com acentos *no ar*. É como se você estivesse regendo sua própria voz (reger somente as longas).

Não deixe sua voz comandar o gesto de regência. É o gesto que deve comandar a voz.

Do mesmo modo que na fase anterior, faça outra experiência, bem menos traumatizante: inverta a função das mãos.

Se você é percussionista ou baterista, estude também substituindo os acentos no ar por ataques em um instrumento.

Observações Talvez Úteis

a) Série 2-1, exercício nº 3.

Como encontrar o valor da colcheia pontuada? Utilize-se da série. Os valores do primeiro compasso, somados, correspondem a uma colcheia pontuada, logo, a 2ª colcheia pontuada será o início do 2º compasso da série. Isto lhe dará a medida da colcheia pontuada. Utilize-se deste estratagema somente para saber como é a colcheia pontuada – procure não ficar conferindo onde é que "cai junto". Sinta a regularidade da sequência e a série como um todo, e então dará certo.

b) A série 4-2-3-1 é uma série composta de duas séries, 4-2 e 3-1, que se alternam. A série 4-2 é crescente e a série 3-1 decrescente. Apesar da aparente confusão, dá para memorizar. É um bom exercício de disciplina interior.

c) Como encontrar o valor da semicolcheia pontuada? Ela é a subdivisão binária da colcheia pontuada.

Bata com uma mão a sequência de colcheias pontuadas. Com a outra mão bata a subdivisão binária de cada colcheia pontuada. Aí está a semicolcheia pontuada.

É interessante que se cante a série, marcando com uma mão a sequência de colcheias pontuadas e a sequência de semicolcheias pontuadas com a outra. Depois retire a sequência de colcheias pontuadas e fique só com a sequência de semicolcheias pontuadas. Não é fácil, mas o resultado é muito interessante.

d) Faça uma experiência.

Tome a série 2-1, exercício nº 3, primeiro período:

O mesmo período transcrito para compasso ternário:

Cante esta música, com as acentuações correspondentes ao compasso ternário, e compare o resultado musical com a série como ela é escrita. Você verá que é outra música, apesar dos valores iguais. Então dará para perceber bem o porquê da série ser escrita em compassos desiguais, a acentuação correta é fundamental para a realização musical.

e) Sugestão: crie outras séries. Invente outras maneiras de realizar as séries, usando o corpo, instrumentos etc.

f) Realização em grupo: por exemplo:
grupo A – canta ou bate a série
grupo B – bate sequência de colcheias
grupo C – bate sequência de colcheias pontuadas.

g) Componha melodias utilizando a série ou elementos dela.

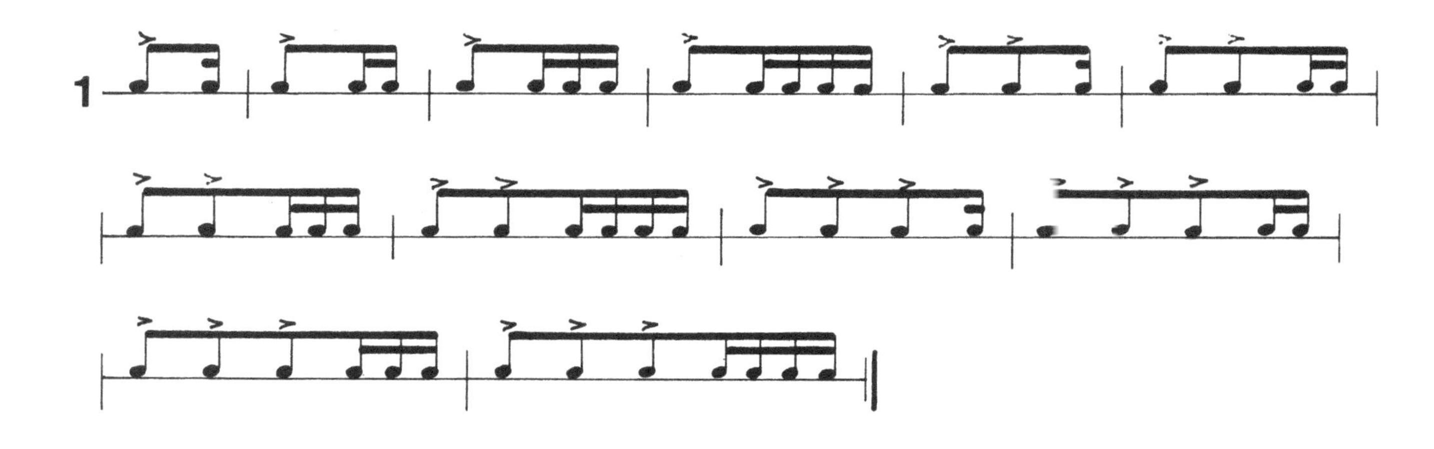
1

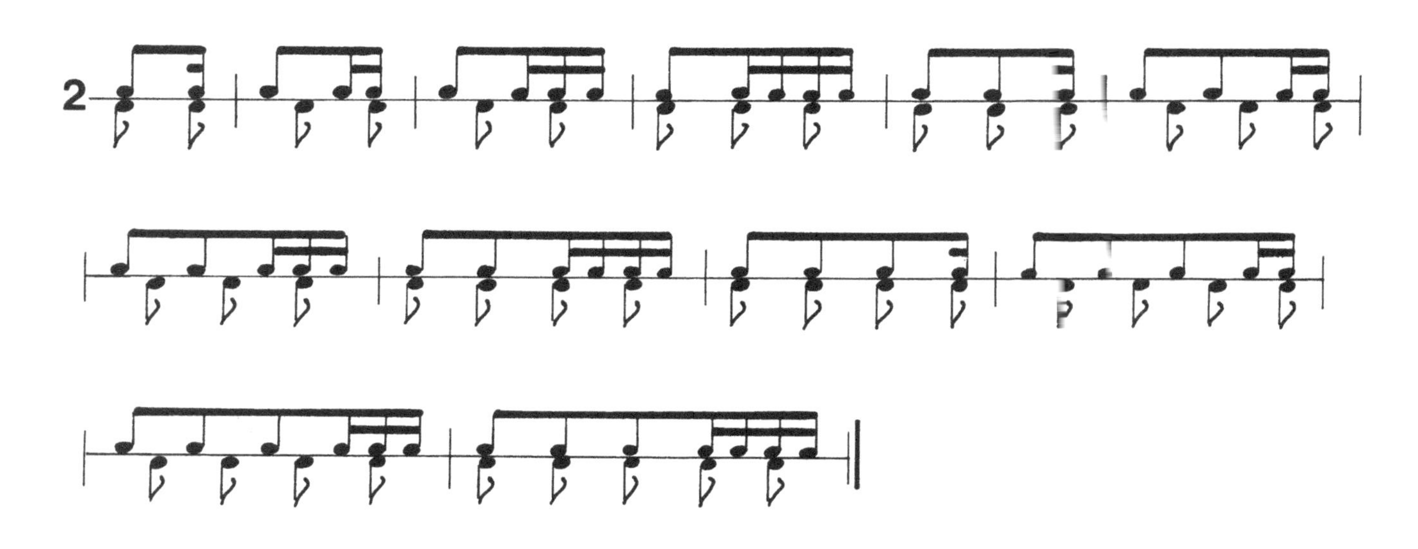
2

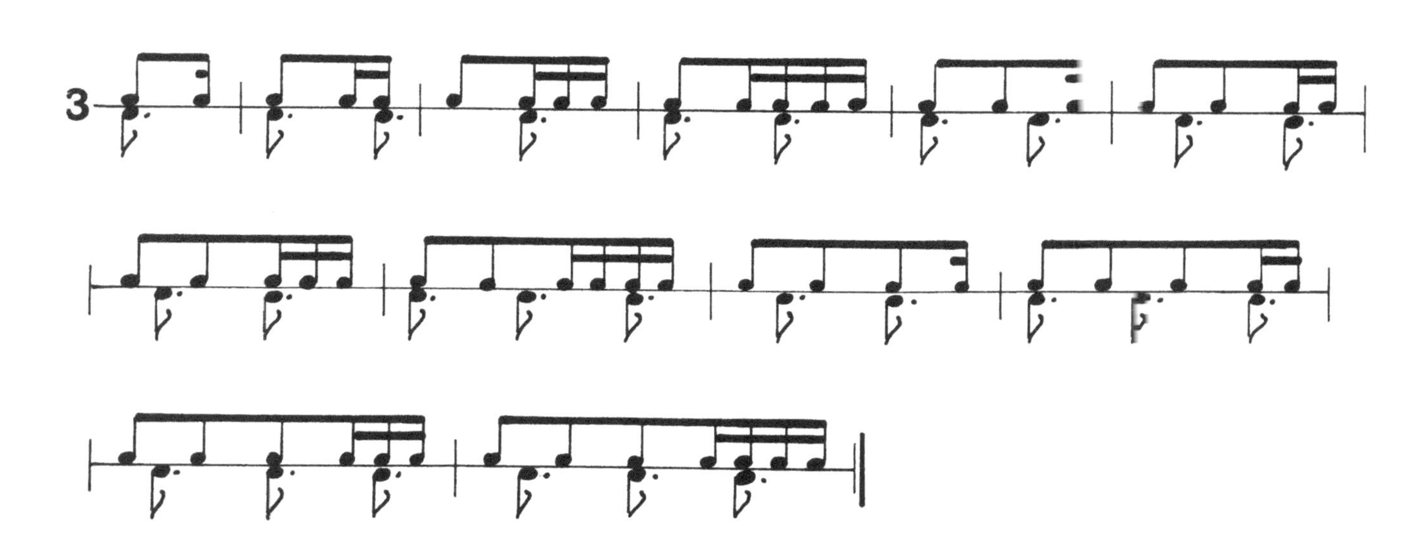
3

1
2

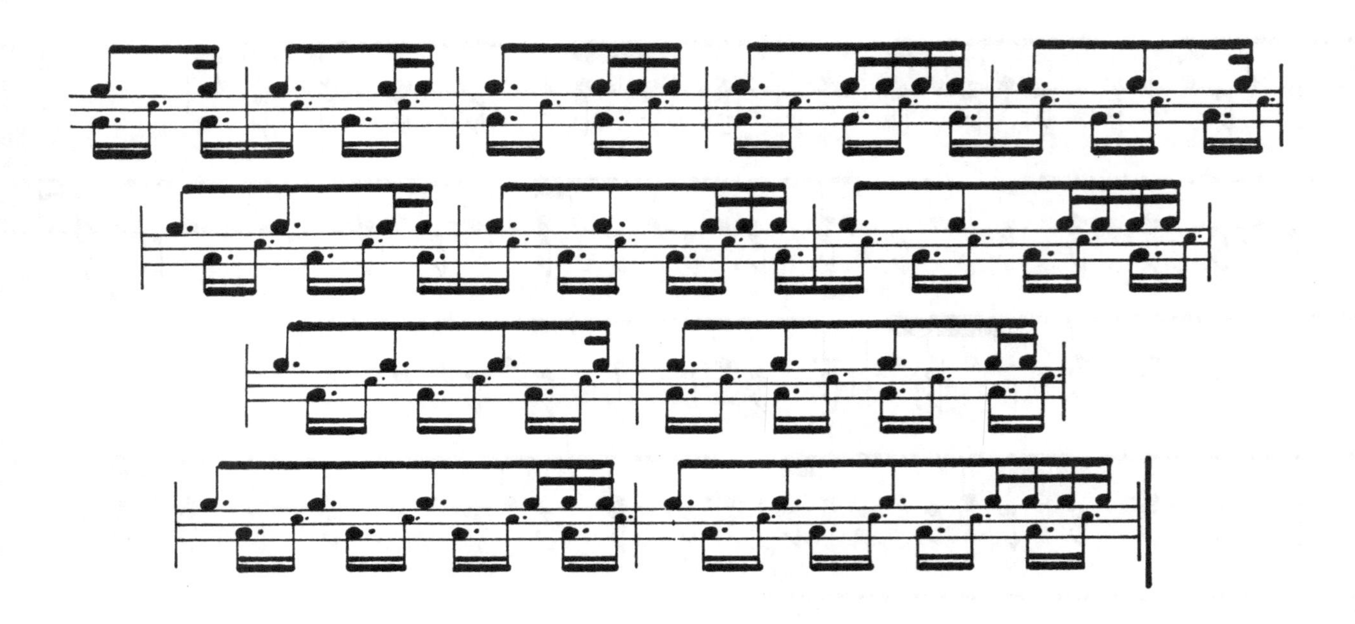

3-2-1

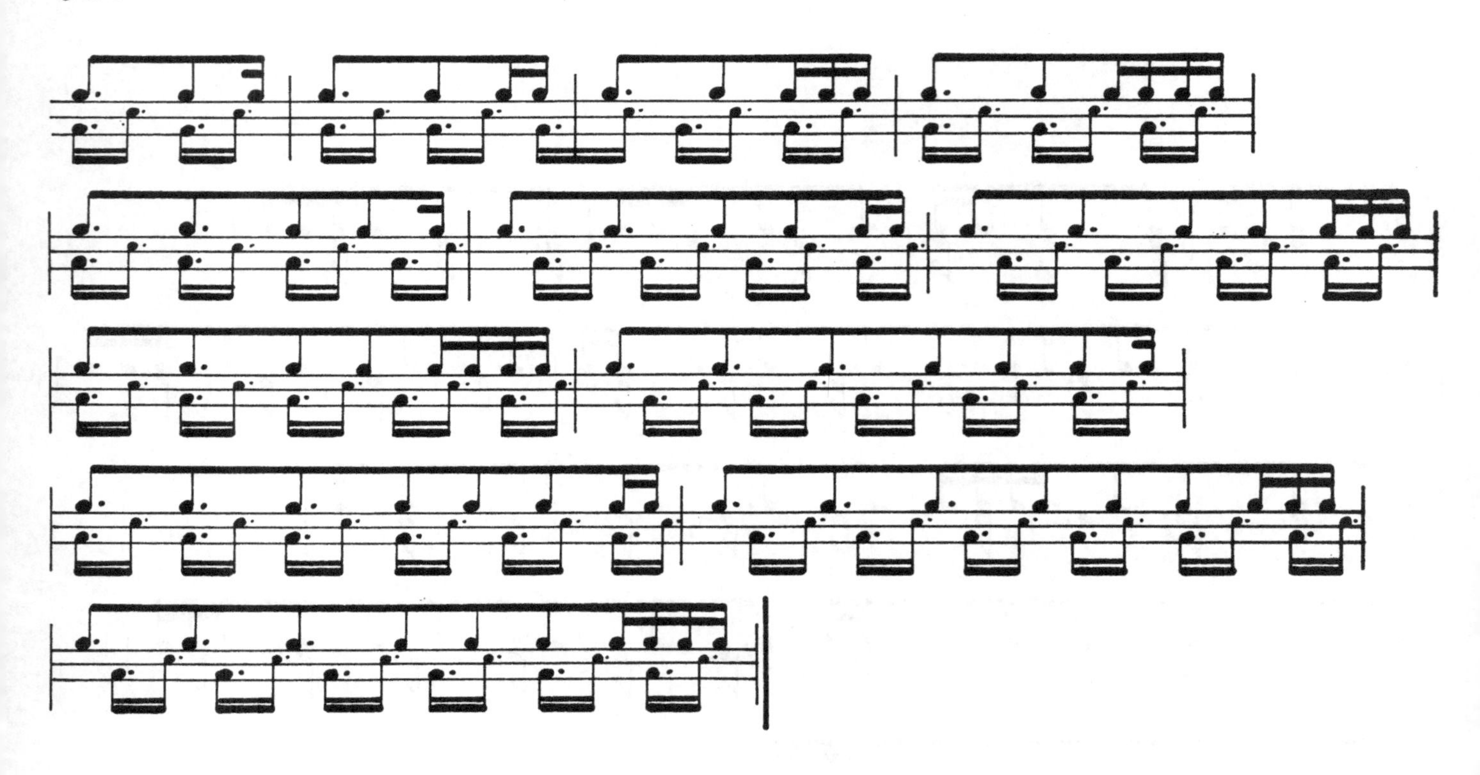

2-

Séries 2-1 (Leituras)

Leitura n. 1)

A primeira parte da leitura é formada de 4 períodos de 3 compassos. O período 1 é formado pelos primeiros compassos de cada período da série original. O período 2, pelos segundos compassos de cada período da série original e assim por diante.

Na segunda parte o modelo de construção é o mesmo, porém cada compasso da primeira parte aparece duas vezes, e modificado. Assim, ele vem primeiro com pausa na longa (𝄾 𝅘𝅥𝅯) e depois com a longa desdobrada em duas curtas (♫♪).

Leitura n. 2)

A ordem da série é a original. Cada estrutura vai acontecer 4 vezes: as duas primeiras como na série original (♫) e as outras duas modificadas (𝄾 𝄿). Nas pausas você não deve deixar de sentir a série interiormente "Cante" as pausas interiormente.

Leitura n. 3)

Composta de 3 períodos.

Os dois primeiros períodos são decrescentes enquanto o terceiro é crescente.

No primeiro período (8 compassos) existe uma estrutura modificada (♫ ♩ 𝄾 ♪) que se alterna a cada compasso da série. No segundo período (8 compassos) também aparece uma estrutura que se alterna (♫ ♩ ♬♬) e o último compasso da série aparece modificado (♫ 𝄿𝄿𝄿𝄿) No terceiro período cada estrutura se repete, modificada ou não.

Observe que as pausas deverão ser sentidas como elementos das estruturas.

Leitura n. 4)

Neste exercício não aparece a série como tal, e sim estruturas jogadas a esmo tentando formar uma ideia musical. O interesse está na segunda parte (os 4 últimos compassos), onde se alternam, na voz inferior, grupos de duas colcheias pontuadas e de duas colcheias. Na realidade, aqui se trabalha em compasso $\frac{5}{8}$

Leitura n. 5)

A série é a original. No lugar de uma sequência de colcheias pontuadas, trabalhamos aqui com um ostinato rítmico gerado dentro da colcheia pontuada (𝅘𝅥𝅮𝅘𝅥𝅯).

Acentue bastante a colcheia do ostinato e não acentue a semicolcheia.

Leitura n. 6)

2 vezes a série original. Na 2ª vez, o ostinato que tomou o lugar de uma sequência de semínimas (𝅘𝅥. 𝅘𝅥𝅯) terá uma relação diferente com a série (deslocado de uma colcheia). No ostinato, acentue sempre as longas!...

Leitura n. 7)

A série é a original. A voz inferior é que fica maluca, às vezes é (𝅘𝅥. 𝅘𝅥𝅯) *por* um trecho, às vezes é (𝅘𝅥𝅮𝅘𝅥𝅯) por outro trecho. Acontece!...

Leitura n. 8)

A série acontece três vezes no original. Cada estrutura se repete quatro vezes.

1

2

3

4

5

6

7

8

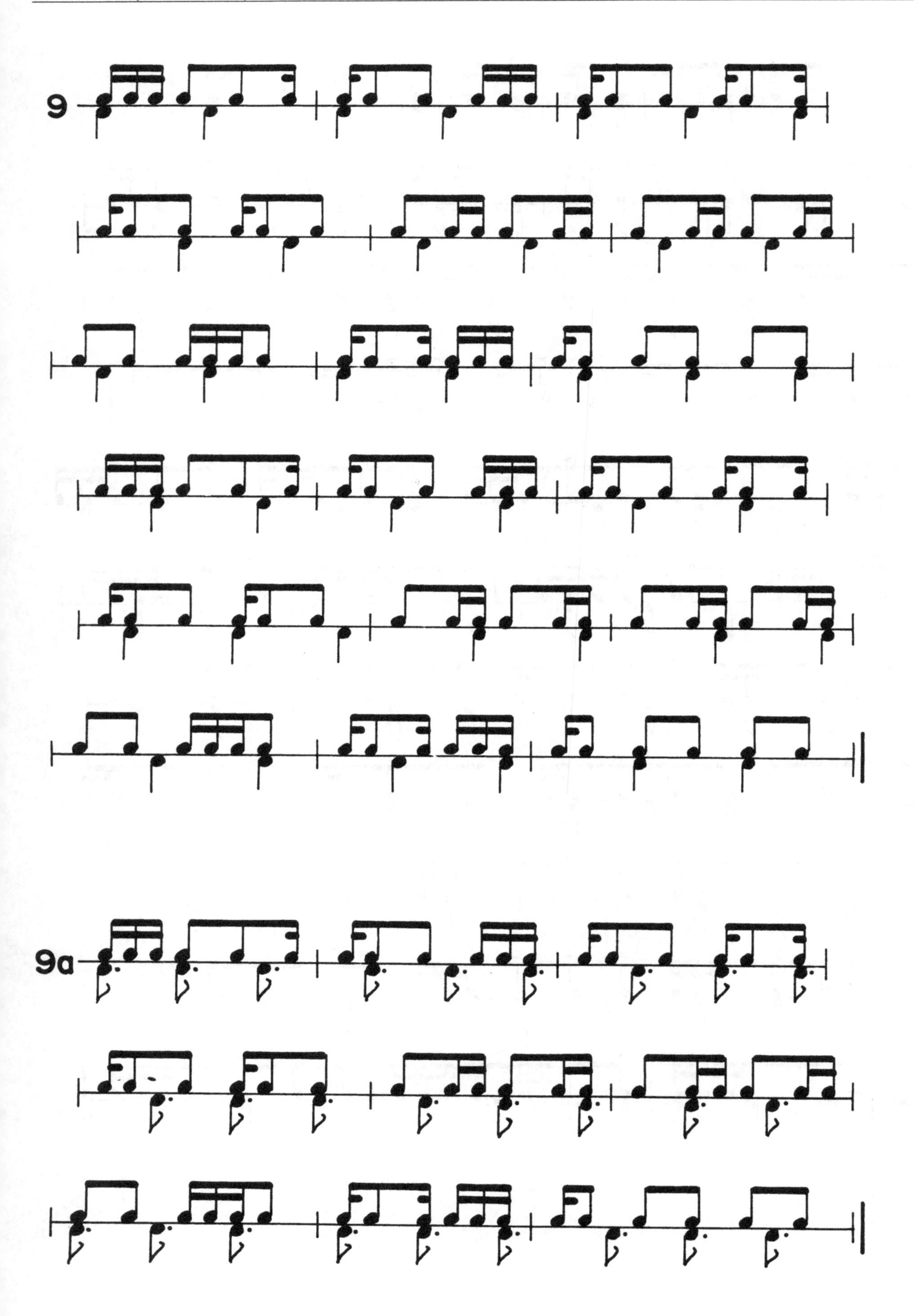
9
9a

Séries 3-1 e 3-2-1 (Leituras)

Leitura n. 1 – É composta dos dois elementos da série agrupados de maneira completamente diferente da série, bem à vontade. A partir do compasso n. 10 recomeça a leitura, porém com a sequência de semínimas em nova relação com a voz superior.

Leitura n. 2 – Esta leitura é o espelho da n. 1. Também é apresentada duas vezes, sendo que na 2ª vez (a partir do compasso n. 10) a relação com a sequência de semínimas é diferente da 1ª vez.

Leitura n. 1a – É a leitura n. 1 apresentada com sequência de colcheias pontuadas na voz inferior.

Leitura n. 2a – É a leitura n. 2 apresentada com sequência de colcheias pontuadas na voz inferior.

Leitura n. 3 – A primeira parte da leitura é formada de 4 períodos de 3 compassos. O 1º período é formado pelos primeiros compassos de cada período da série original; o período 2 pelos segundos compassos de cada período da série original, e assim por diante. Na segunda parte o modelo de construção é o mesmo, porém cada compasso da primeira parte aparece 2 vezes, sendo que na primeira trazem no lugar das longas, as pausas correspondentes.

Leitura 3-2-1 – A ordenação dos três elementos da série é livre.

1)

2)

1a)
2a)

3

Séries 2-1 e 3-1 com Pausas

São leituras em que cada compasso da série é acrescido de uma ou mais pausas. Nestas leituras as pausas funcionam como um elemento fixo.

Para realizar as pausas com precisão você pode se valer de alguns exercícios complementares. Substitua a pausa de semínima por 4 semicolcheias ou 2 colcheias, percutidas pela mão que não está sendo utilizada. A pausa de colcheia pontuada pode ser substituída por 3 semicolcheias, colcheia mais semicolcheia e semicolcheia mais colcheia.

Exercícios:

a) • cantar a leitura
• mão esquerda bate a sequência de colcheias pontuadas ou semínimas
• mão direita bate a célula rítmica que vai substituir a pausa

b) • cantar a leitura
• mão esquerda bate a sequência de colcheias pontuadas ou semínimas
• mão direita bate, utilizando dois timbres diferentes, a leitura (junto com a voz) e a célula rítmica que vai substituir a pausa

Observação: Realizar este exercício sem cantar a leitura, apenas percutindo-a com a mão direita.

1-

2-

IA-

2A-

3 –
4 –

3A-

4A -

1 -
2 -

IA -

2A

3 -
4-

3A -

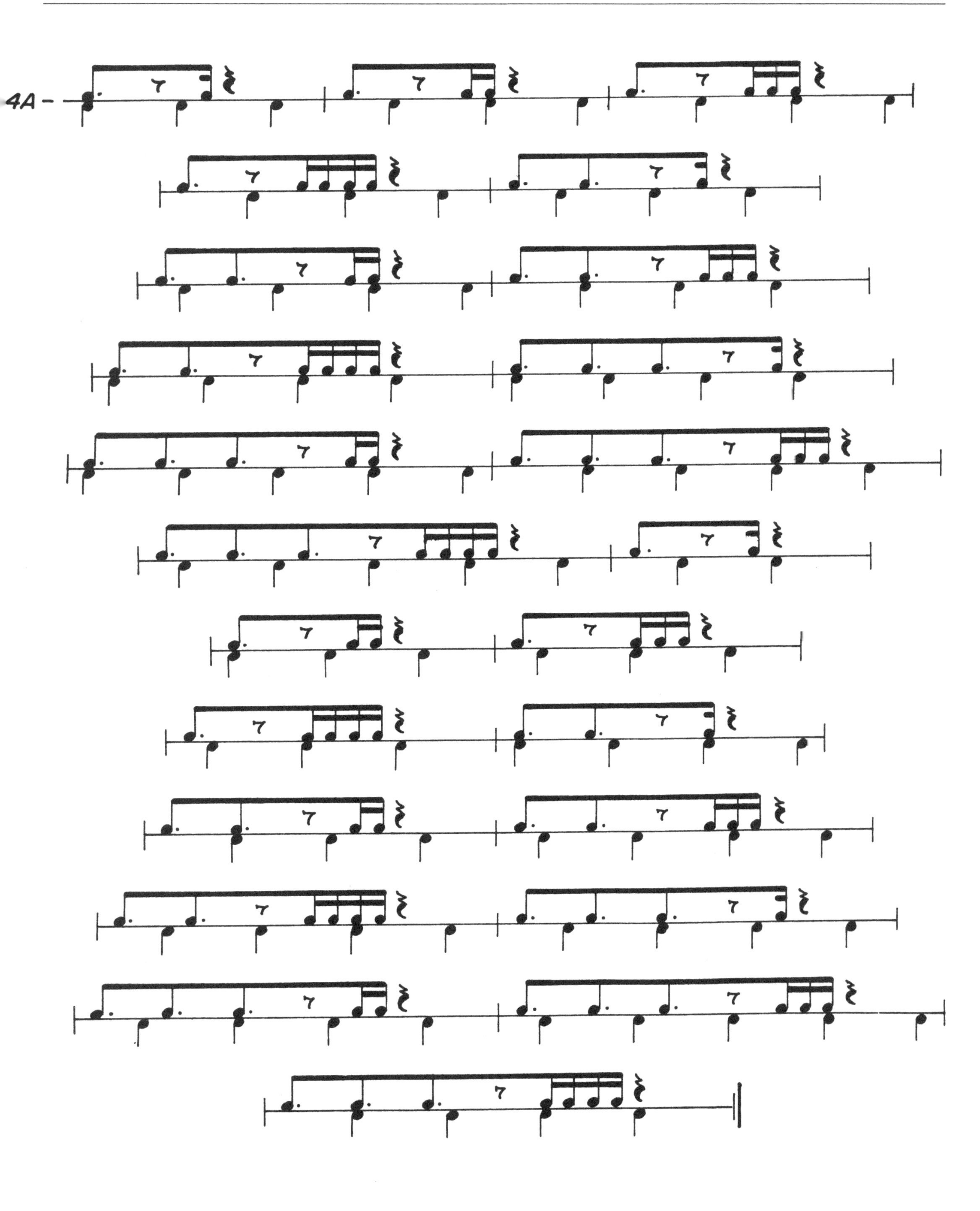
4A –

Estruturas de Pulsações I

São exercícios de fácil realização que têm função, em sua 1ª fase, de decodificar uma célula rítmica em sua estrutura menor, as pulsações. Na fase seguinte, vai possibilitar que se adquira uma consciência musical da relação entre ritmo e tempo. E ainda, numa última fase, é um ótimo exercício para treinamento de polirritmos.

Os exercícios são constituídos de agrupamentos de valores iguais, que recebem acentuações regulares e irregulares. As acentuações regulares irão constituir os tempos, e as irregulares darão a ideia rítmica propriamente dita.

Como realizar:

- acentos superiores – batendo palmas
- acentos inferiores – batendo os pés, alternadamente
- marcar todas as pulsações que não tiverem acentos superiores com uma mão batendo perpendicularmente sobre a palma da outra mão (como pequenos golpes de Karatê), produzindo bem pouco som, para diferenciar bastante das que têm acento

Quando já estiver conseguindo realizar os exercícios bem musical e relaxadamente (o relaxamento é fundamental), acrescente ao exercício uma terceira voz, cantada. Você então terá: voz, palmas, pés, além da marcação das pulsações. Aqui vão algumas sugestões:

- cante os acentos inferiores, prolongando o som
- cante os acentos superiores, prolongando o som
- cante uma sequência de tercinas (3 colcheias para cada semínima)
- cante uma sequência de quintinas (5 semicolcheias para cada semínima)
- cante uma estrutura rítmica qualquer
- cante uma melodia em que o exercício funcione como acompanhamento

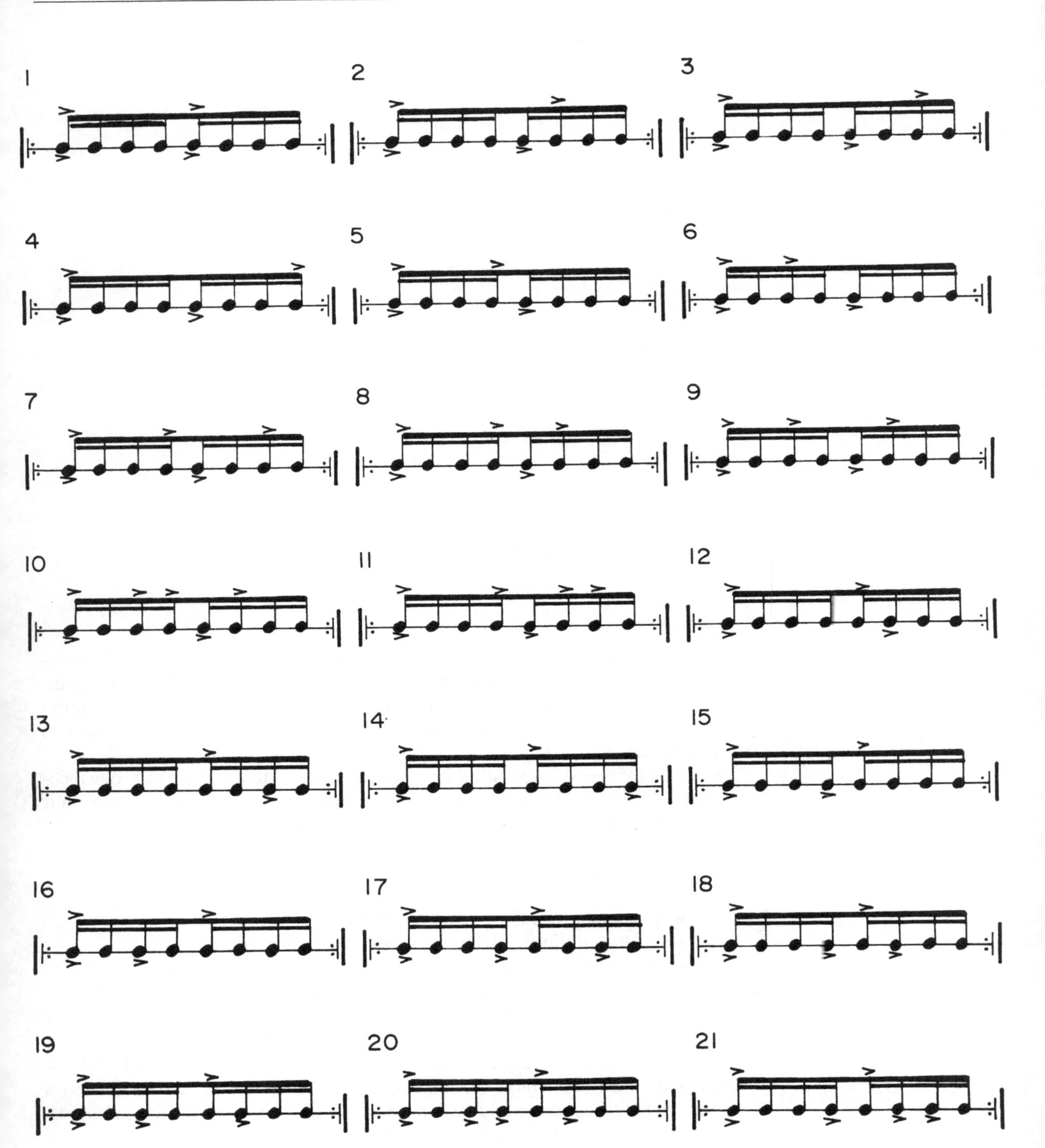
1
2
3
4
5
6
7
8
9
10
11
12
13
14
15
16
17
18
19
20
21

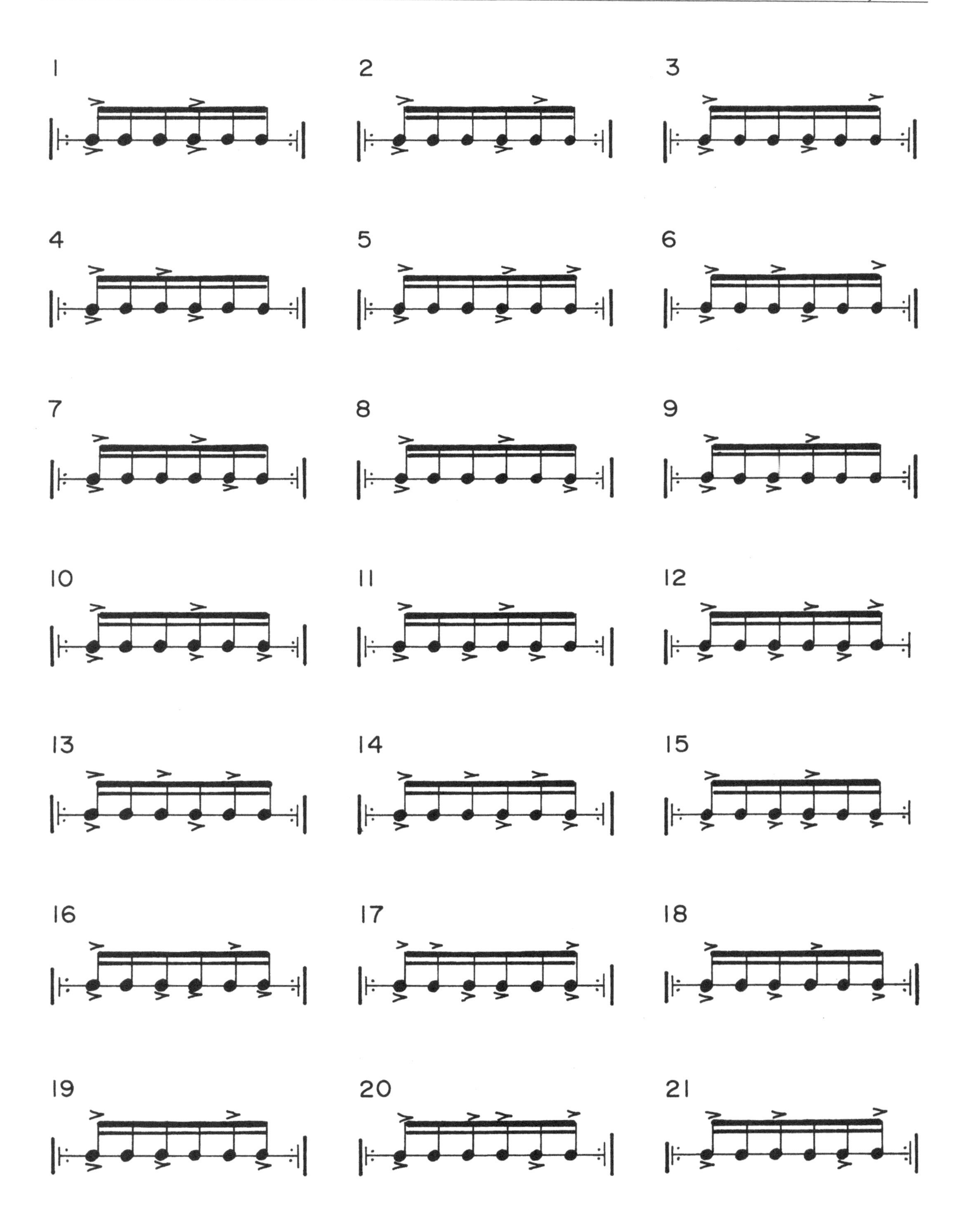
1
2
3
4
5
6
7
8
9
10
11
12
13
14
15
16
17
18
19
20
21

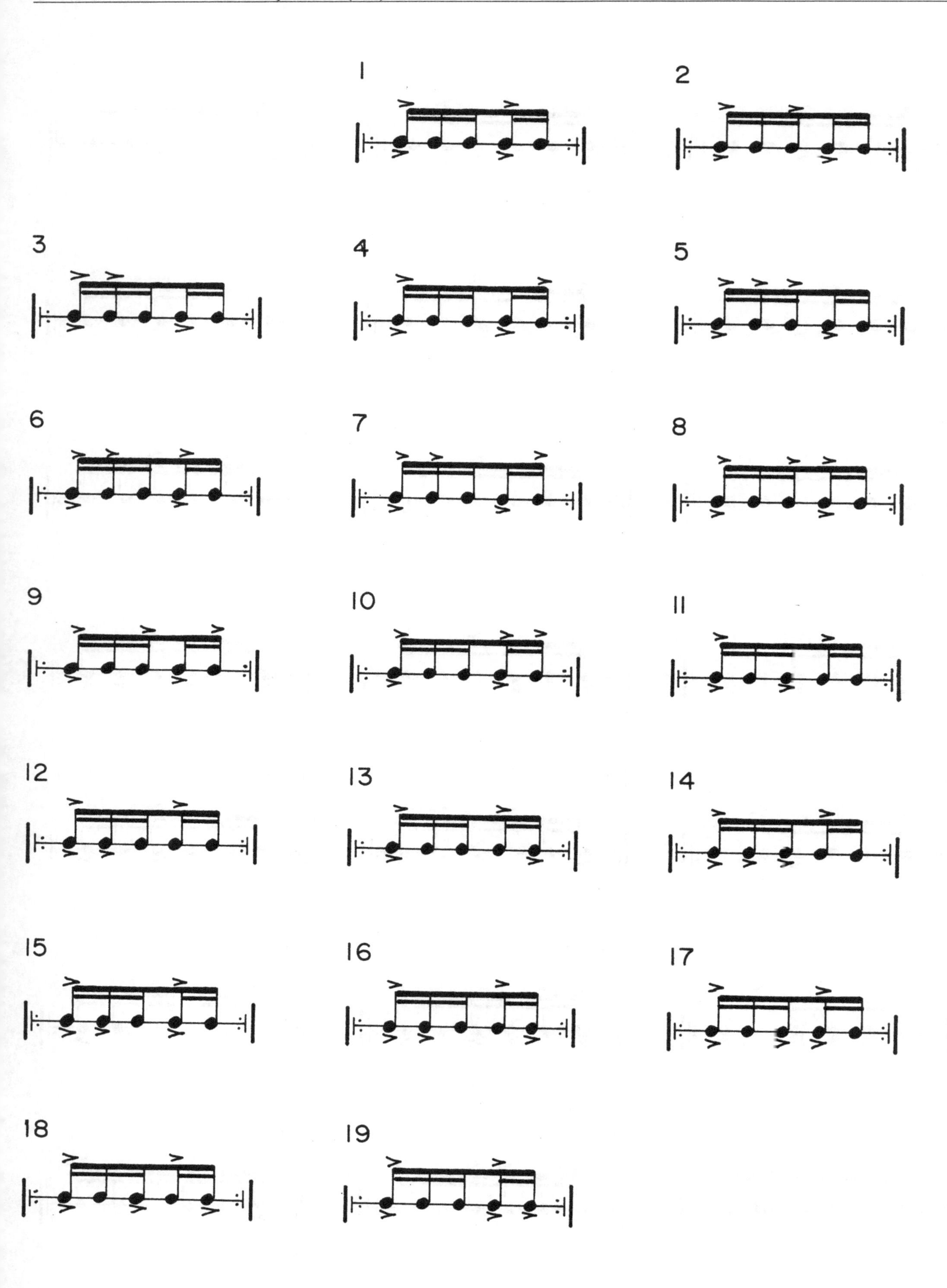
1
2
3
4
5
6
7
8
9
10
11
12
13
14
15
16
17
18
19

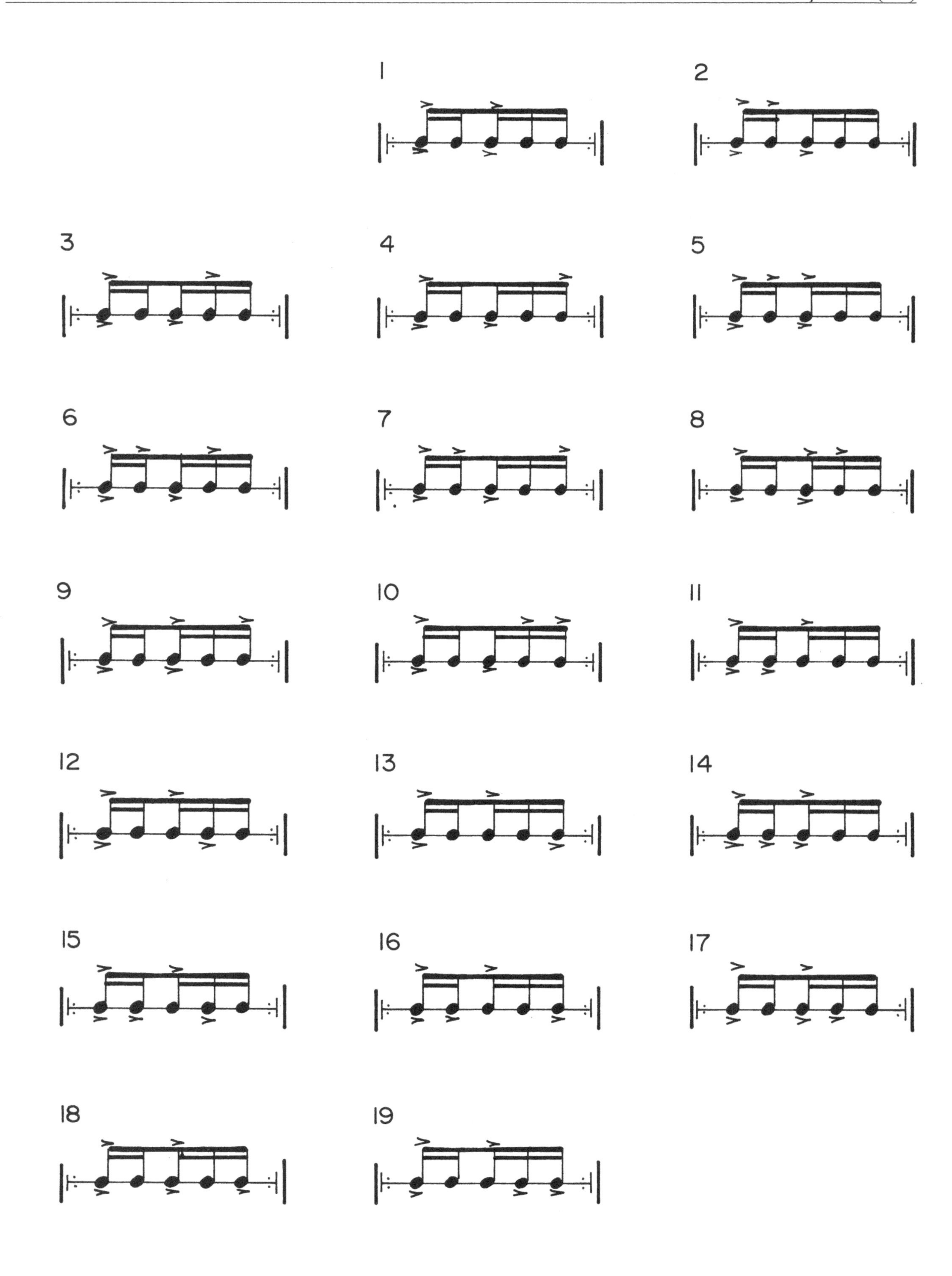
1
2
3
4
5
6
7
8
9
10
11
12
13
14
15
16
17
18
19

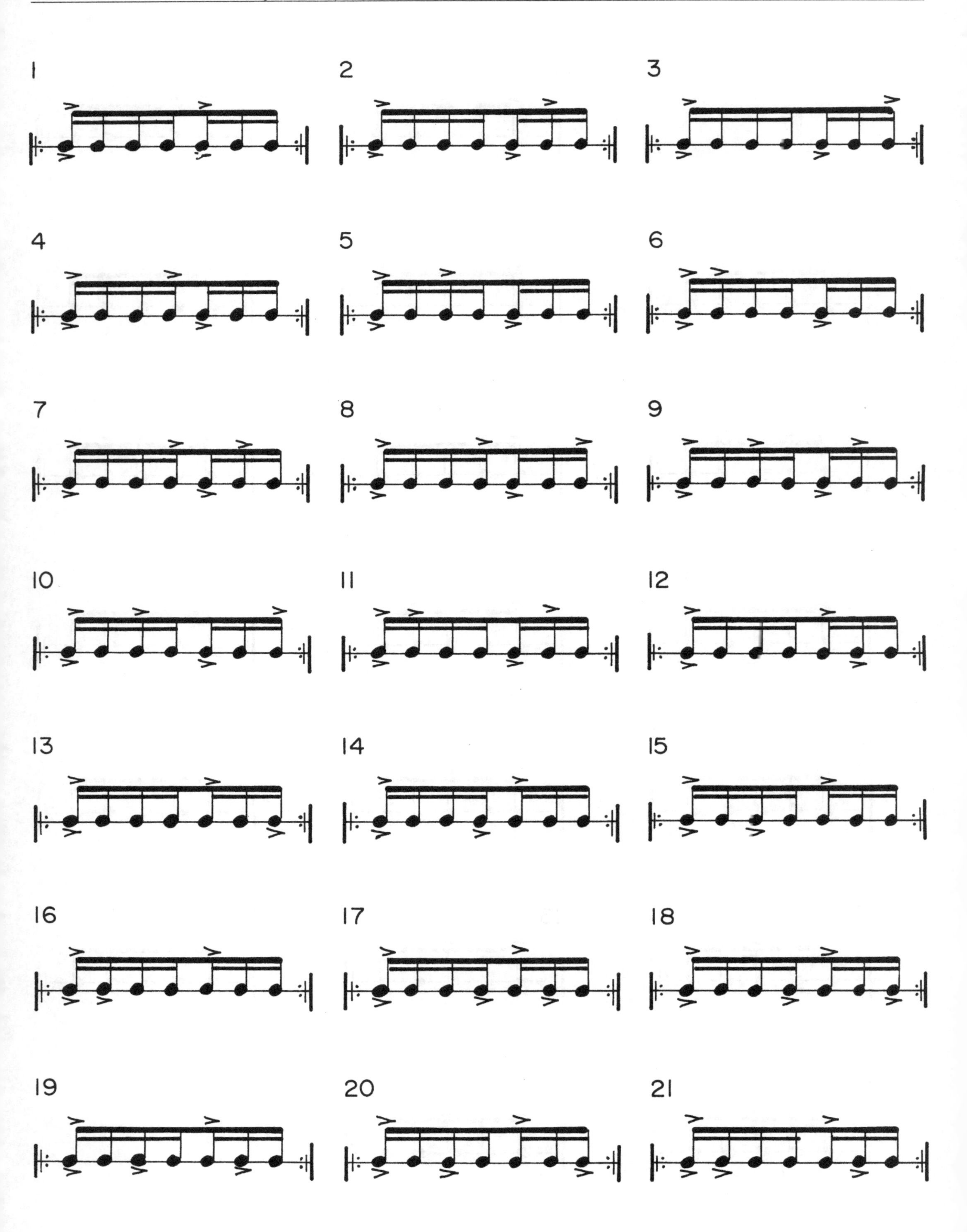
1
2
3
4
5
6
7
8
9
10
11
12
13
14
15
16
17
18
19
20
21

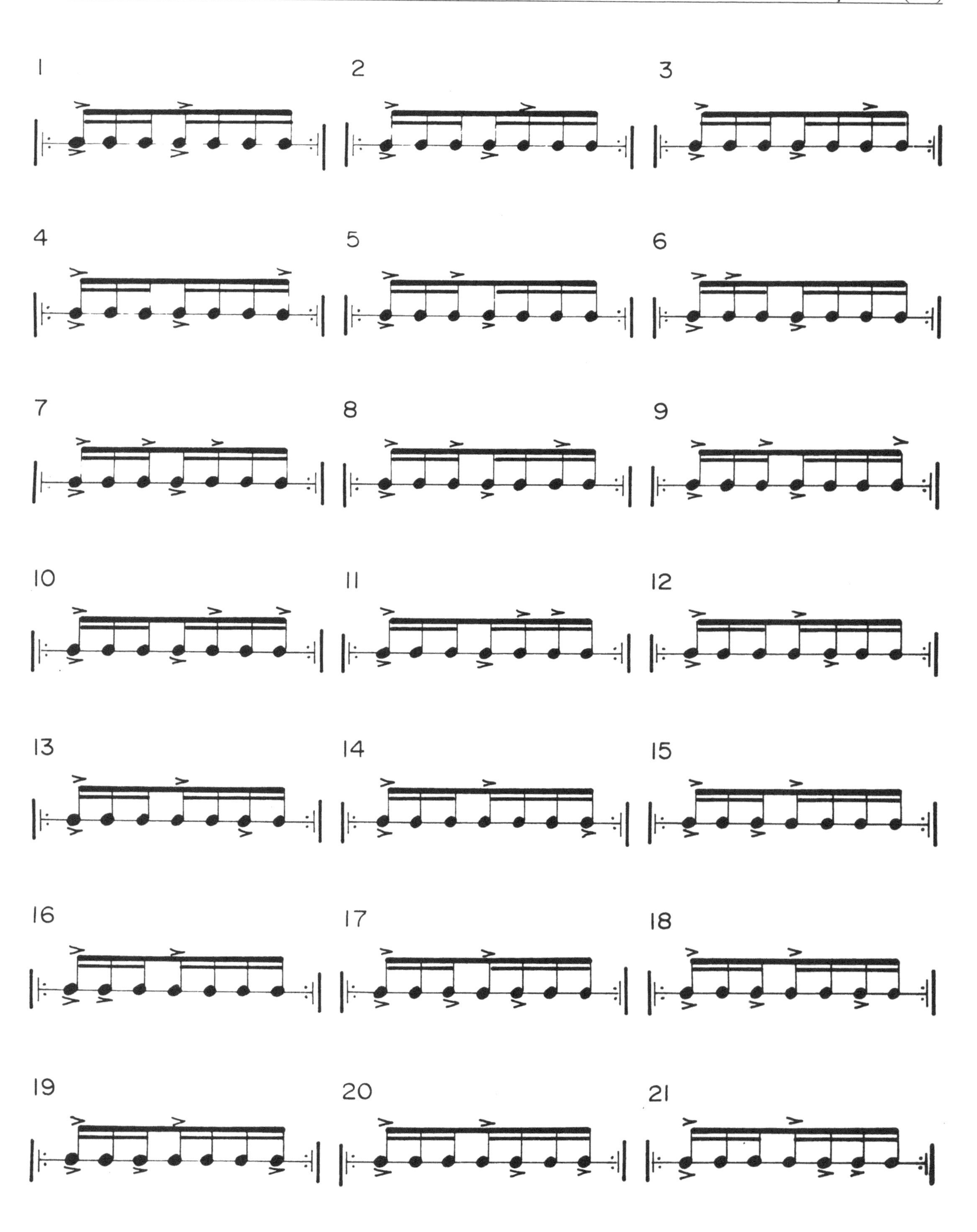
1
2
3
4
5
6
7
8
9
10
11
12
13
14
15
16
17
18
19
20
21

Estruturas de Pulsações II

Como realizar:

- acentos superiores – palmas
- acentos inferiores – pés alternados
- marcar todas as pulsações que não tiverem acentos superiores com uma mão batendo perpendicularmente sobre a palma da outra mão (como pequenos golpes de Karatê), produzindo bem pouco som, para diferenciar bastante das que têm acento.

Cada exercício compõe-se de uma estrutura de semicolcheias que se repete, contraposta a uma sequência de acentuações regulares (base 3 ou 4). Segue-se a inversão das vozes.

Você não deve ler a sequência dos acentos. Considere os acentos regulares (base) como um ostinato. Memorize as acentuações da estrutura a ser trabalhada e faça de preferência sem ler.

Você deve sentir que a cada repetição da estrutura, a ideia musical da mesma não se modifica. Se houver modificação é sinal que talvez você esteja fazendo relação da estrutura com o ostinato, isto é, está havendo subordinação.

Para certificar-se de estar realmente sentindo a ideia musical da estrutura, é interessante contar em voz alta os apoios que a subdividem:

- estruturas de 8 semicolcheias – contar: 1...2...
- estruturas de 7 semicolcheias – contar: 1...2.. ou
1..2...
- estruturas de 6 semicolcheias – contar: 1..2.. ou
1.2.3.
- estruturas de 5 semicolcheias – contar: 1..2. ou
1.2..

1

2

3

4

5

6

7

8

9

10

11

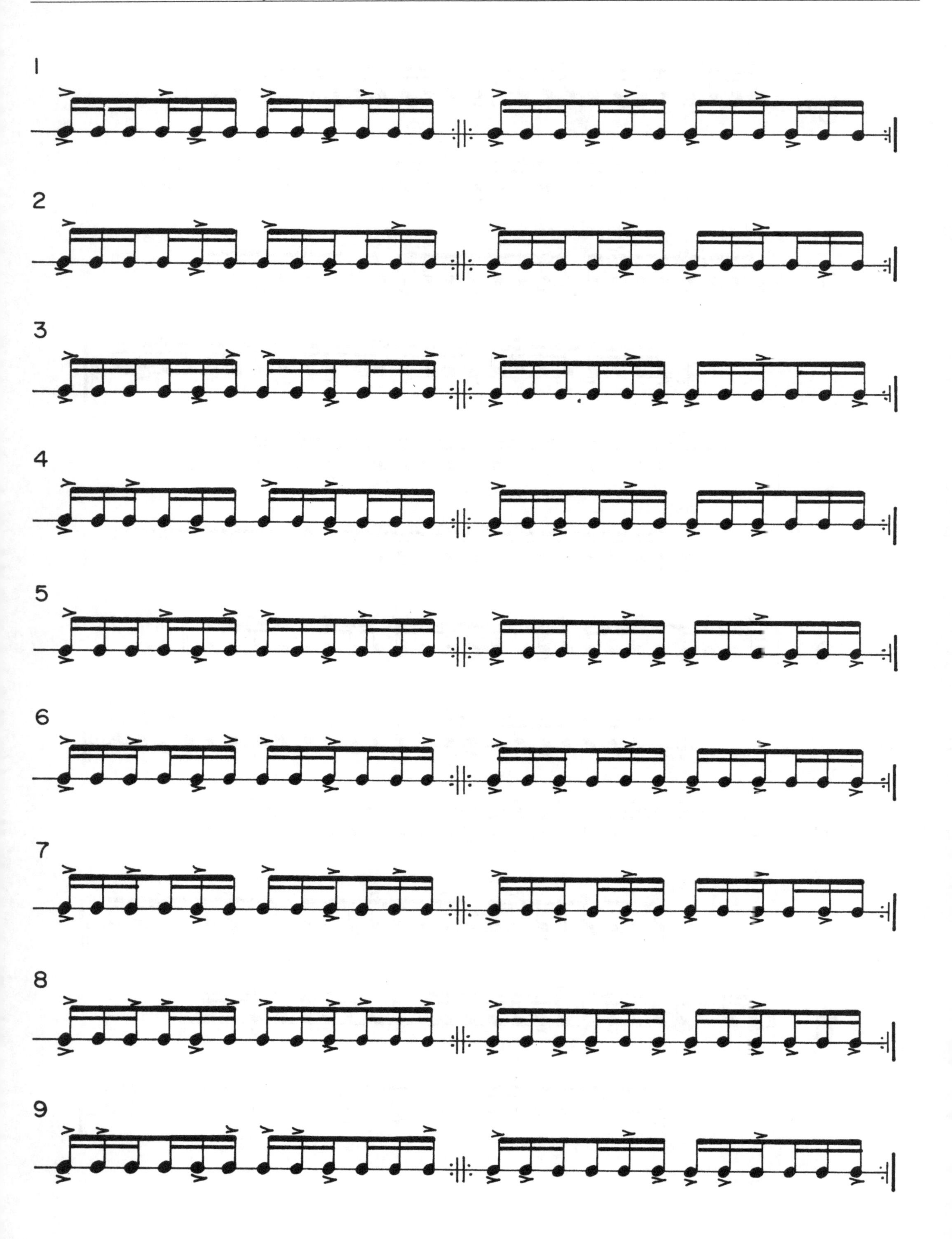
1
2
3
4
5
6
7
8
9

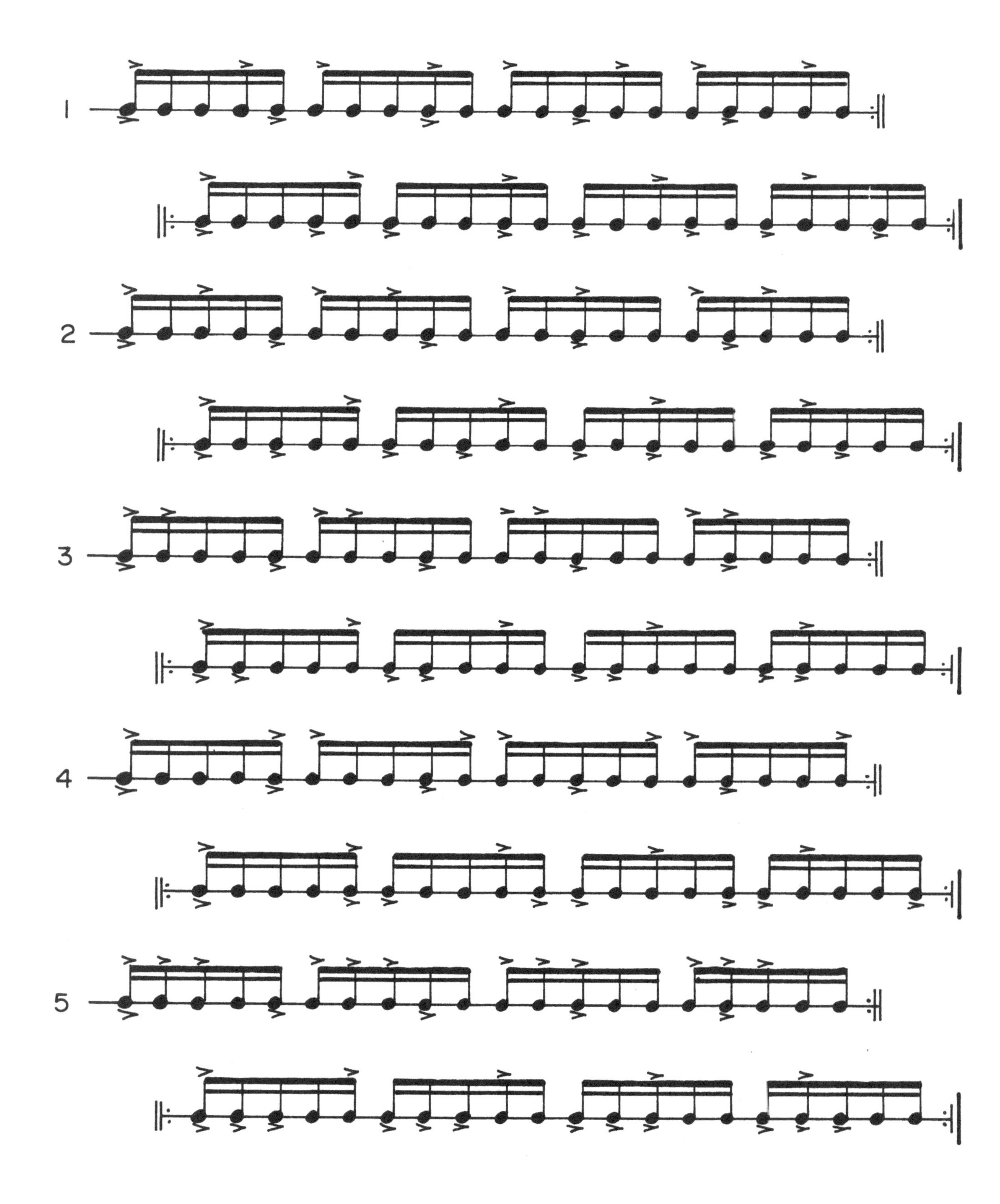
1
2
3
4
5

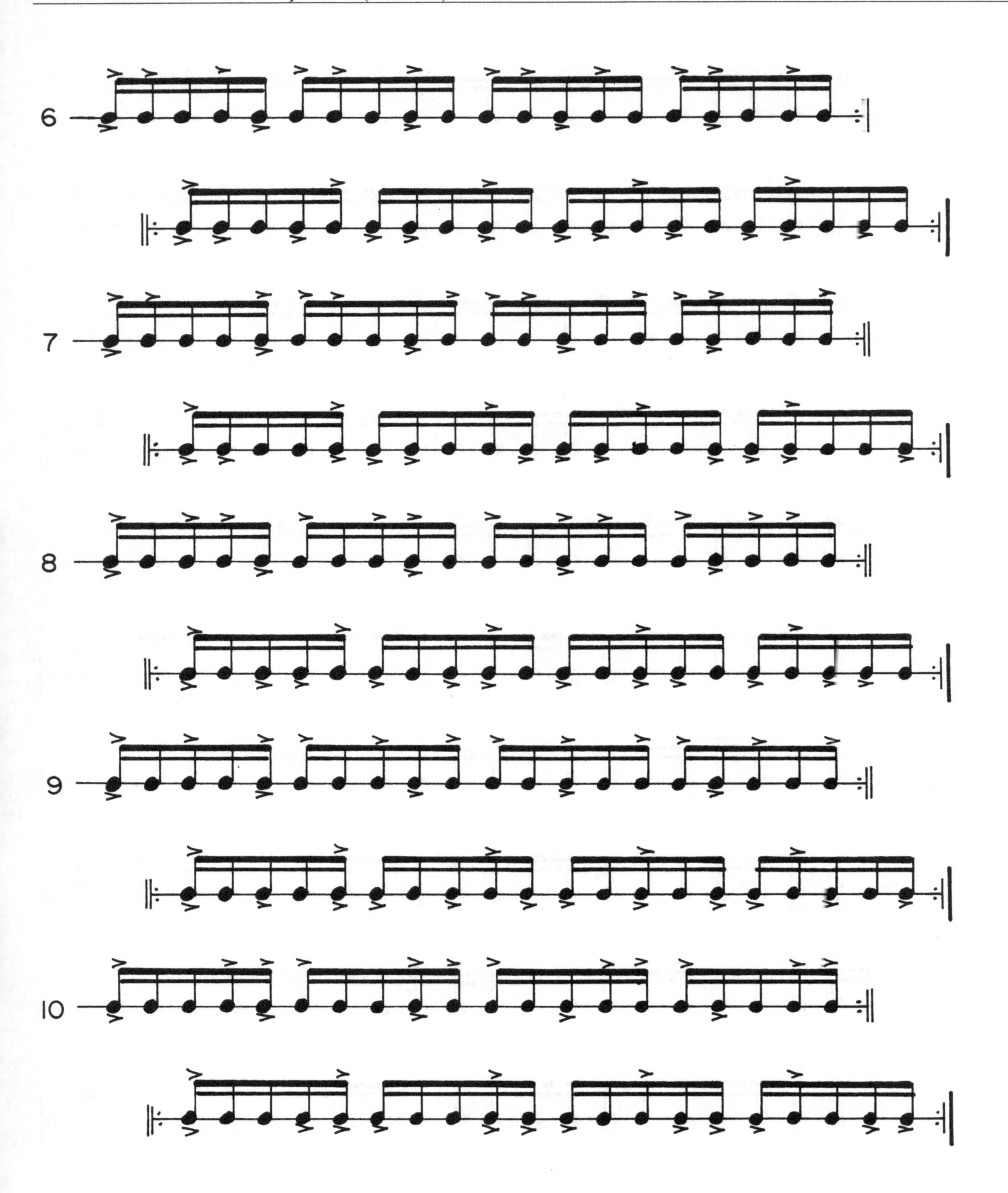
6
7
8
9
10

1
2
3
4
5

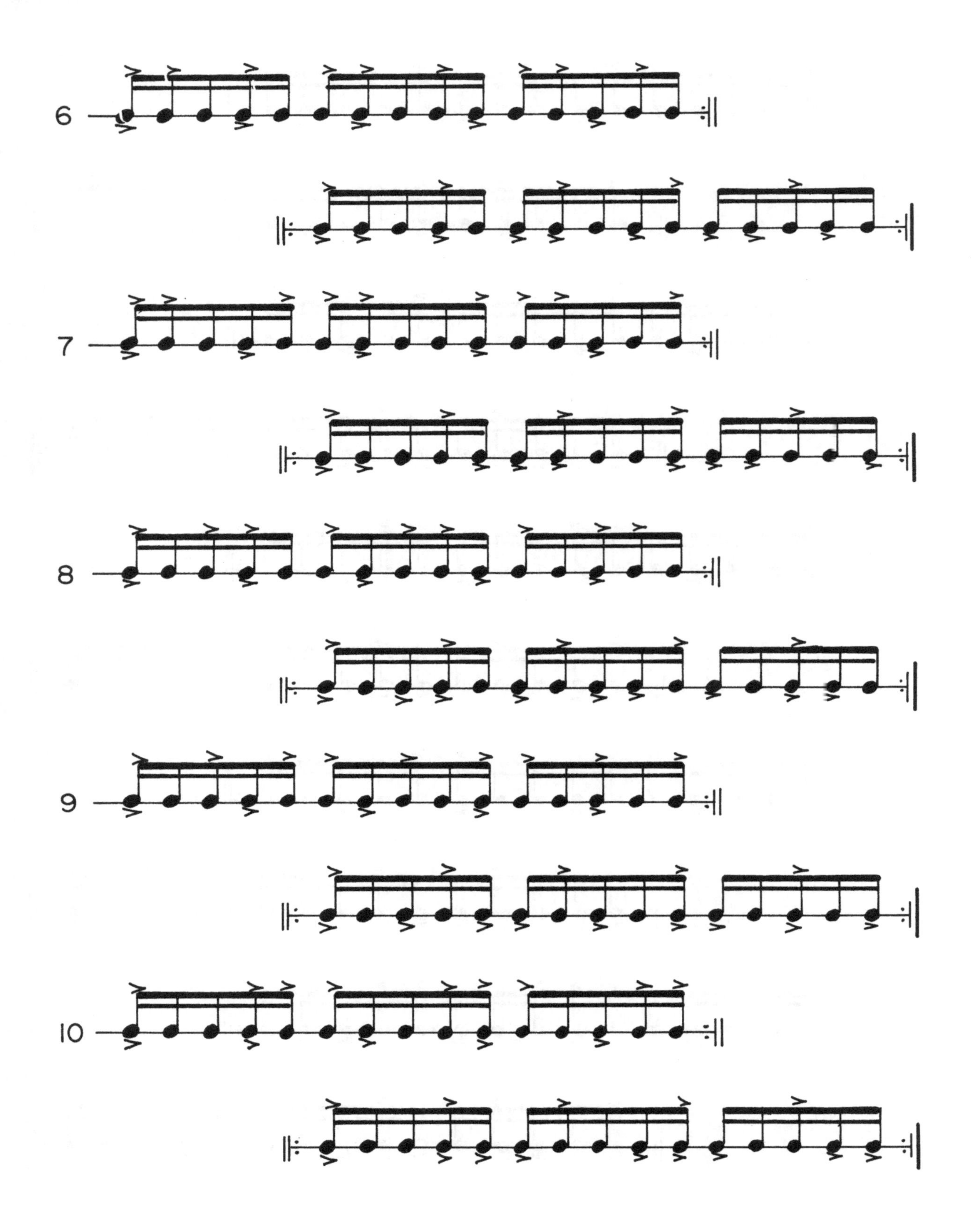
6
7
8
9
10

1
2
3
4
5

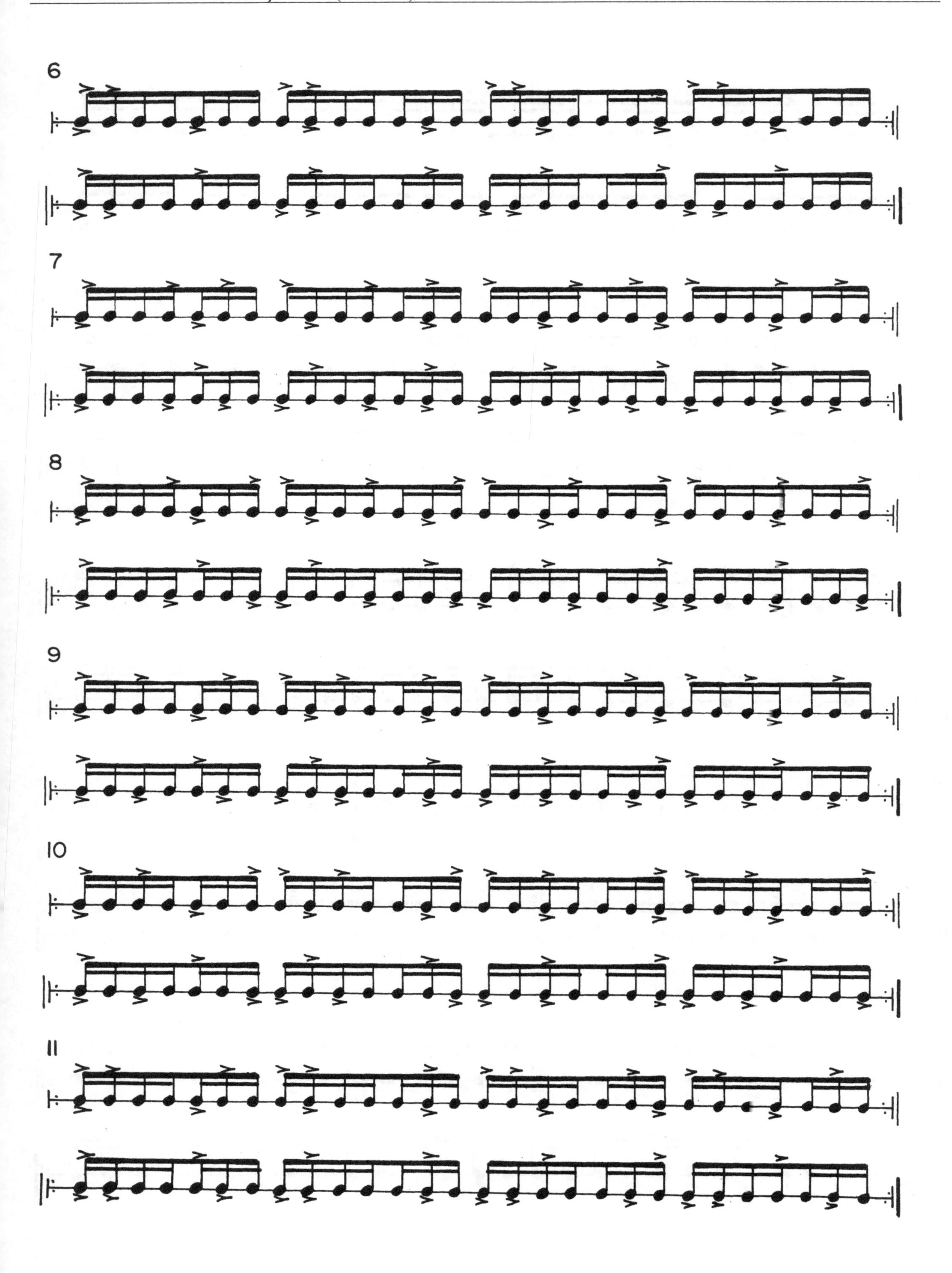
6
7
8
9
10
11

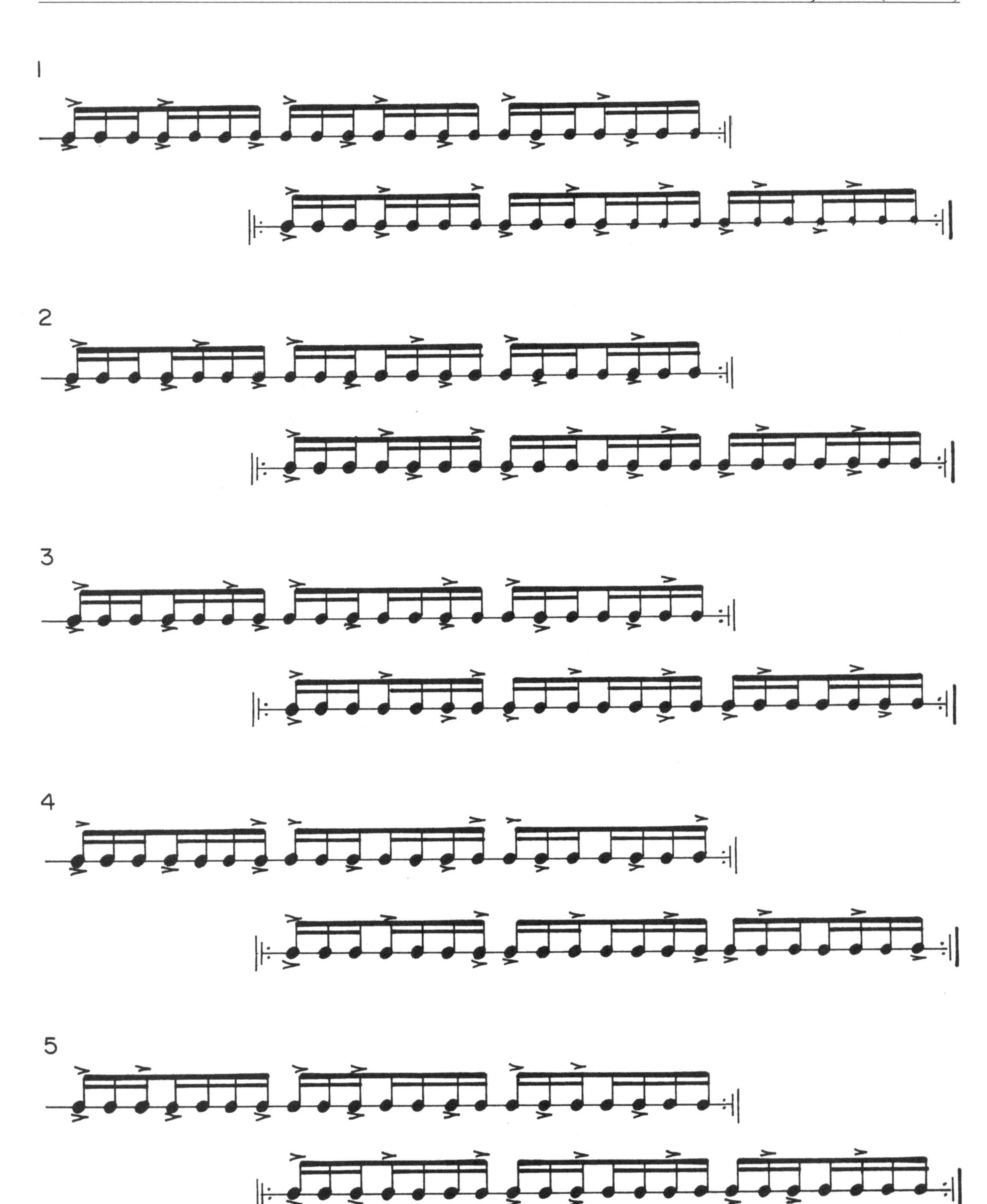
1
2
3
4
5

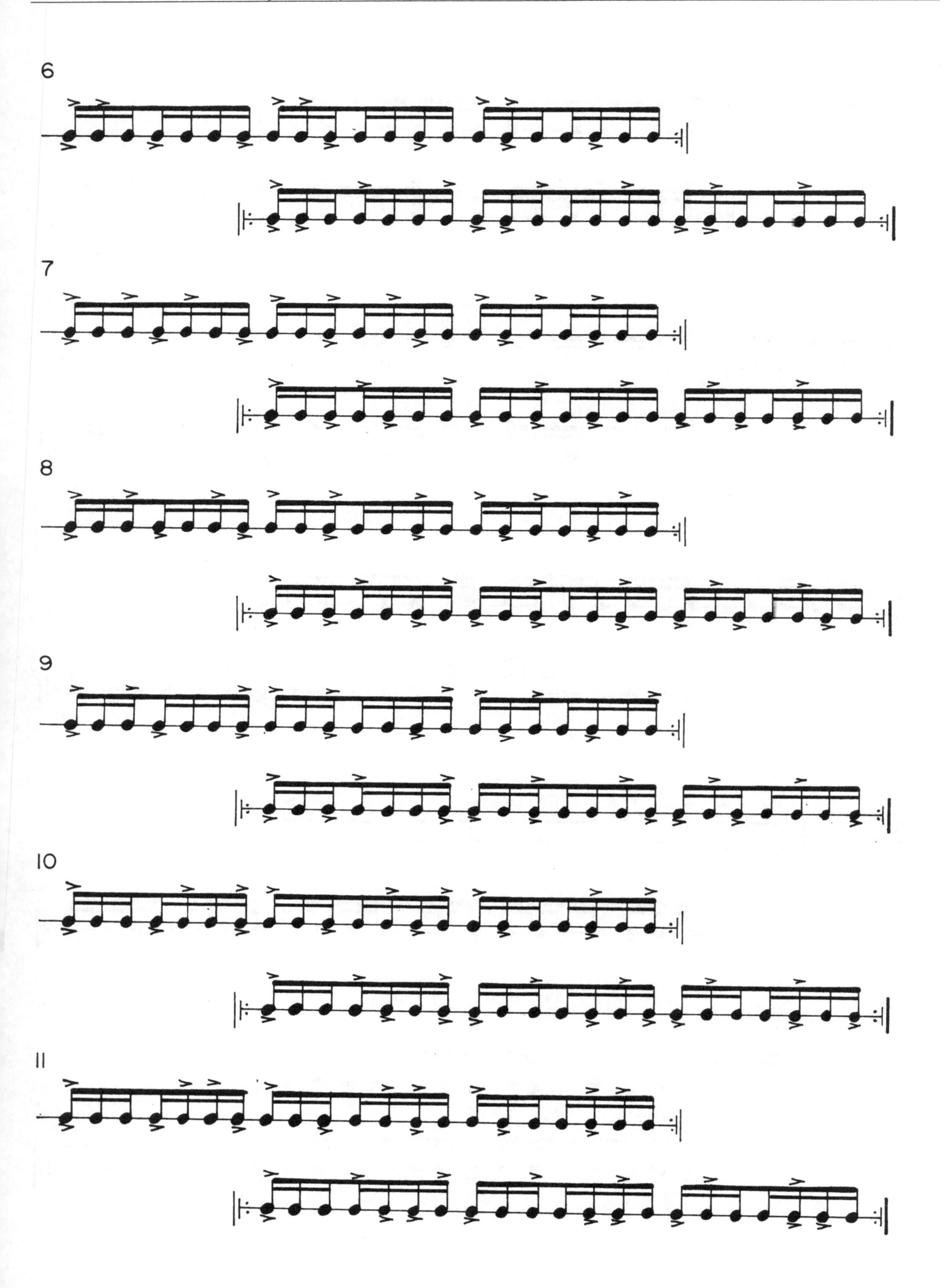
6
7
8
9
10
11

5(3 + 2)

O título do exercício já é bem claro: estruturas de cinco pulsações agrupadas em 2 e 3.

São seis modelos, que estão expostos com os números de 1 a 6. Cada um deles é realizado com um acompanhamento de semínimas pontuadas e de semínimas.

Como realizar:

- cantando a voz superior e batendo palmas na outra
- batendo palmas na voz superior e pés na inferior
- mão direita na voz superior e esquerda na inferior
- os mesmos invertidos
- etc...

Observação: a articulação (ligadura e *stacatto*) pode ser realizada cantando as sílabas TÁ-ra ou outras sílabas que transmitam bem a ideia musical.

O exercício: *Fase 1*

Não subordine a voz superior à inferior. Elas são independentes, cada uma com sua característica, acontecendo paralelamente. São duas linhas horizontais, paralelas. Vou insistir muito neste paralelismo, pois é a base da maioria dos exercícios deste caderno. Se deixarmos de lado esta característica, nos arriscamos a transformar os exercícios em meros quebra-cabeças aritméticos, onde vai bastar saber onde é que as duas vozes coincidem, quando "cai junto". Se realizarmos os exercícios desta maneira pouco aproveitaremos.

Tente sentir a estrutura quinária apesar da insistente regularidade das semínimas pontuadas ou das semínimas.

Divida sua atenção: dirija mais atenção para o que estiver mais complicado e deixe o outro lado acontecer, não importa se "automaticamente" ou não.

A partir do n. 7, os "acompanhamentos" serão compostos dos dois elementos, semínima e semínima pontuada. No n. 7 teremos uma sequência de 3 semínimas pontuadas e 4 semínimas. No n. 8, 4 semínimas pontuadas e 4 semínimas.

Fase 2: *idem* fase 1, regendo o compasso em dois movimentos: semínimas pontuadas e semínimas.

1
2
3
4
5
6

7
8

7

Nestes exercícios trabalhamos somente com um modelo rítmico ( ), agrupado em 4 e 3 ( ) ou em 3 e 4 ( ). O acompanhamento (voz inferior) será de semínimas, semínimas pontuadas e mínimas.

Como realizar:

- voz e palmas
- palmas e pés
- mão direita e mão esquerda
- etc.

O exercício:

Se você já leu o texto do exercício 5(3+2), já deve ter ideia de quais são as intenções deste exercício (são boas!). Lembre-se de que as duas vozes têm características próprias e que a subordinação de uma à outra pode facilmente descaracterizar as duas.

Divida sua atenção.

Sinta a estrutura de 7 colcheias como um todo.

Uma ideia: realize o exercício como está escrito e acrescente um acento (com pé, ou mão) no início de cada compasso.

Isto vai ajudá-lo a sentir a estrutura de 7 como um todo.

O exercício pode ser ampliado, utilizando o esquema dos 6 modelos do exercício 5(3+2). Assim, você pode transformar o exercício n. 1 em, por ex.:

, ou , ou etc.

1-

2-

3-

4-

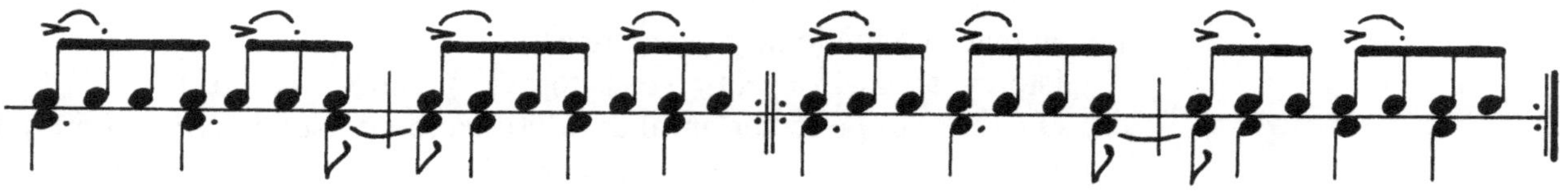

5-

6-

7-

8-

9 -

10 -

6 a 2 e a 3(1)

O exercício está montado sobre uma série de semicolcheias, na qual intervêm pausas em número crescente. Assim, no 1º compasso não há pausas, no 2º compasso há uma pausa de semicolcheia, no 3º compasso duas pausas de semicolcheias etc.

Como realizar:

- cantar a voz superior
- bater a voz inferior
- reger o compasso indicado

O exercício:

A série será trabalhada primeiro em compasso $\frac{3}{8}$ (exercício *b*), onde a voz inferior vai marcar os três tempos do compasso (3 colcheias). Depois em compasso binário composto, onde a voz inferior marcará os dois tempos do compasso (2 colcheias pontuadas) (exerc. *c*).

No exercício *d* você encontrará a série no compasso $\frac{3}{8}$ e a voz inferior estará se desenvolvendo dentro da ideia musical do compasso binário composto. O seu trabalho é fazer com que a série não se descaracterize, não assuma a personalidade binária.

No exercício *e* a série se encontra em compasso binário composto enquanto a voz inferior é nitidamente ternária. Não mudar o caráter binário da série.

No exercício *f* a série vem escrita em $\frac{3}{8}$ e a voz inferior alterna-se, um compasso ternário e outro binário (cuidado: no sétimo compasso a voz inferior é igual à do sexto compasso). Manter acentuação e regência ternárias na voz superior durante todo o exercício.

No exercício *g* a série aparece em compasso binário composto e a voz inferior alterna-se, um compasso binário e outro ternário (cuidado voz inferior: 7º compasso = 6º). Manter acentuação e regência binárias.

a)
1
b)
3
8
c)
2
d)
3
8

e)
f)
g)

6 a 2 e a 3 (2)

A série aqui se apresenta com duas pausas nos 4 primeiros compassos e com três pausas nos 4 compassos finais.

a)
b)
c)
d)

e)
f)
g)

9 Divertimentos em $\frac{2}{4}$

Como realizar:

- cantar a voz superior
- bater com uma das mãos a voz inferior
- reger $\frac{2}{4}$

Exercício preparatório:

- cante 24 semicolcheias, acentuando de três em três e marcando com a mão os acentos.

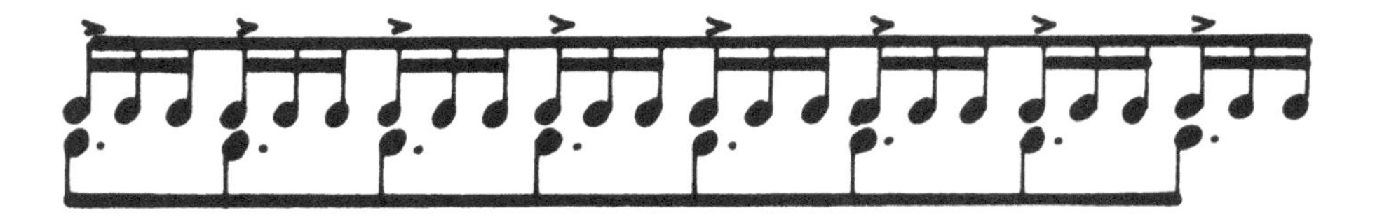

- a seguir, mude a acentuação: acentue a cada quatro semicolcheias, mantendo a mão batendo a cada três.

Observação importante: não mude o andamento das semicolcheias quando trocar as acentuações.

- acentuando a voz a cada 4 e a mão a cada 3, reger os acentos da *voz.*

A realização ideal dos exercícios se dará quando você, conscientemente, conseguir separar sua atenção em dois hemisférios. Em um deles se encontram o ritmo, os tempos do compasso e a regência; no outro, a sequência de colcheias pontuadas, o ostinato.

Unindo estes dois hemisférios, se encontra a subdivisão, tanto da semínima quanto da colcheia pontuada: as semicolcheias, a pulsação que vai servir de medida para o ritmo, os tempos e o ostinato.

Pode-se então concluir que o centro deste globo é a sequência de semicolcheias. E este centro que vai dar a medida para tudo o que vai acontecer no exercício.

Portanto, qualquer relação que você tenha tendência a fazer entre o ostinato de colcheias pontuadas e os tempos do compasso deve ser evitada. Isto criaria um novo ritmo, resultante desta relação, que descaracterizaria o sentido musical do exercício.

Tenha por base somente o *centro*, as semicolcheias, a medida.

1-
2
4
3

2-
2
4
3

3-
2
4
3

4-

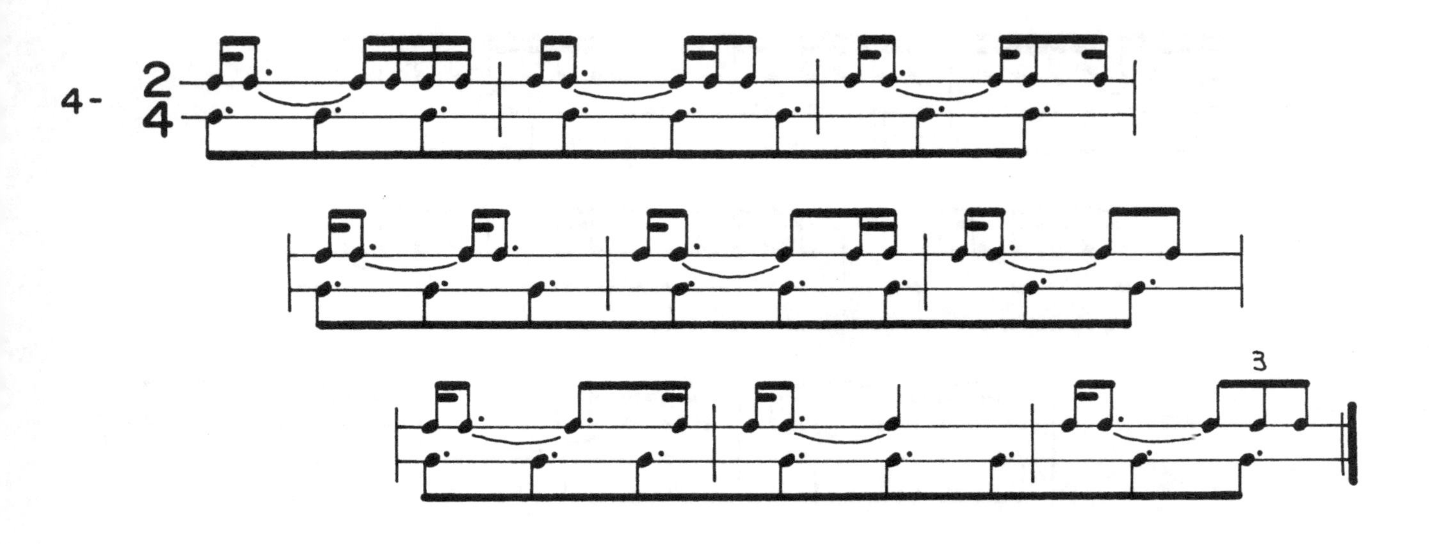

5-

6-

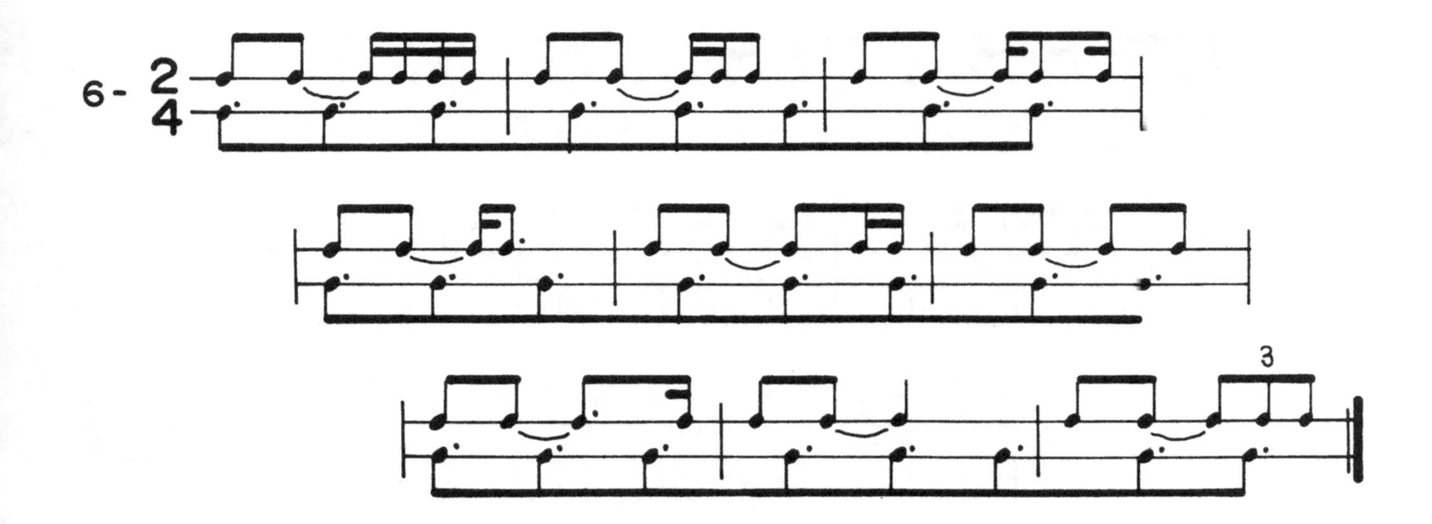

7-
2
4
3

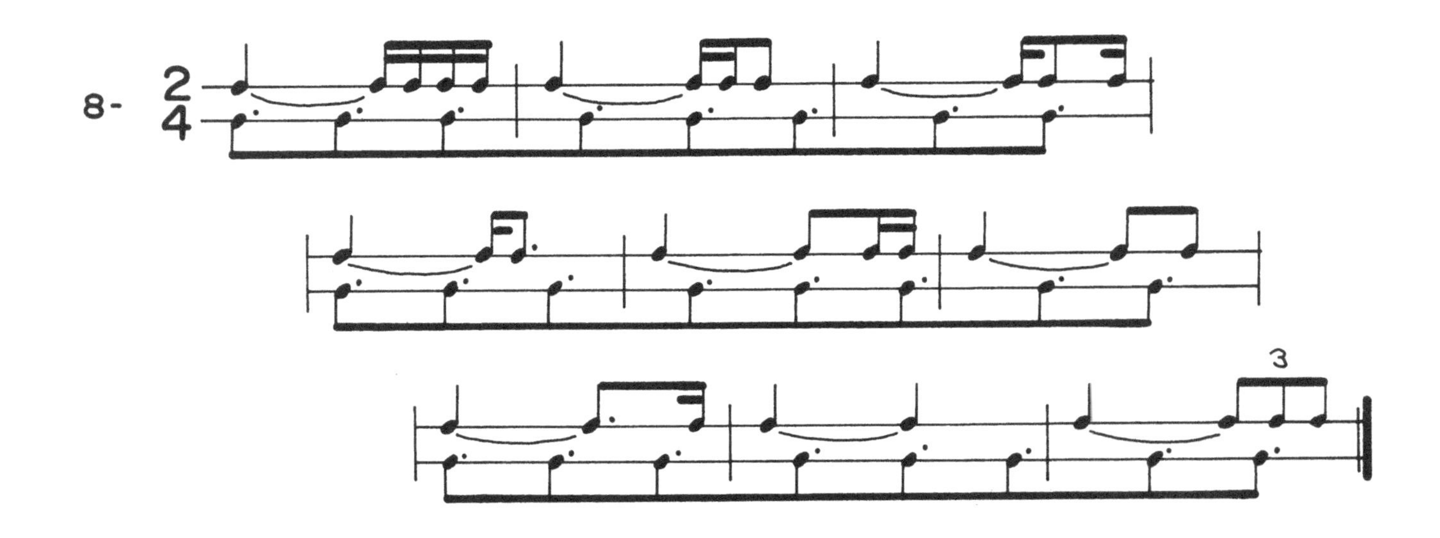
8-
2
4
3

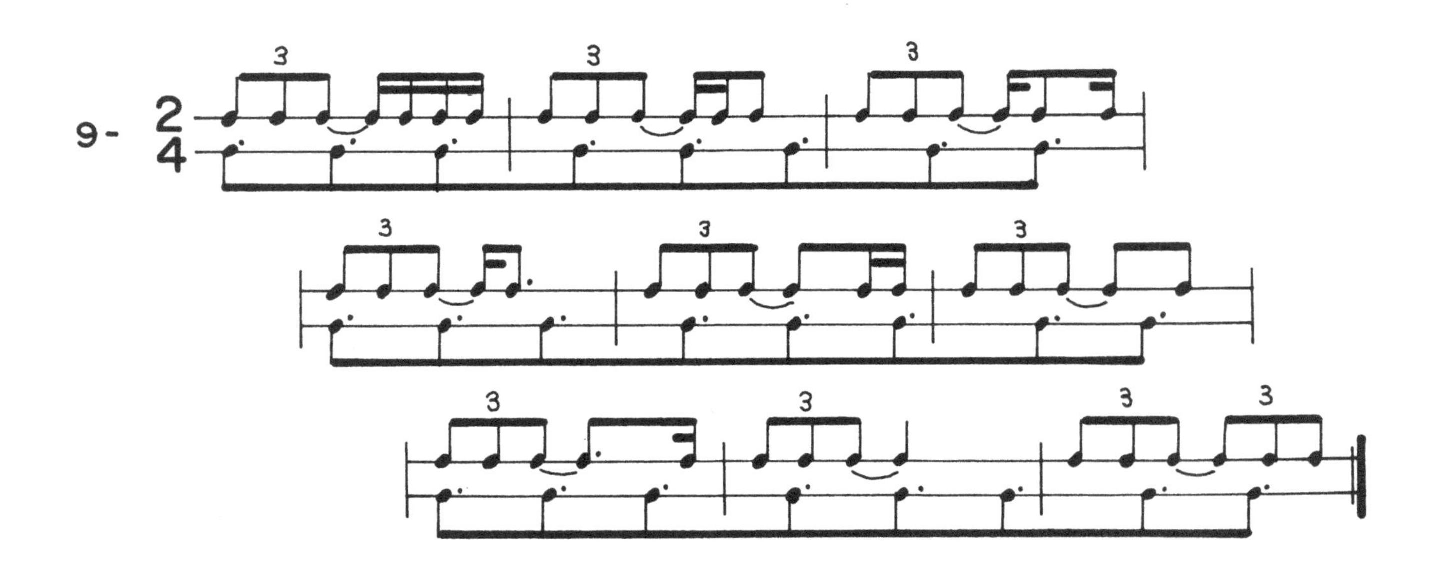
9-
2
4
3
3
3
3
3
3
3
3
3
3

12 Divertimentos em $\frac{3}{4}$

Como realizar:
- cantar a voz superior
- bater com uma das mãos a voz inferior
- reger $\frac{3}{4}$

Exercício preparatório:
- cante 12 semicolcheias, acentuando de três em três e marcando com a mão os acentos.

- a seguir, mude a acentuação: acentue a cada quatro semicolcheias, mantendo a mão batendo a cada três.

Observação importante: não mude o andamento das semicolcheias quando trocar as acentuações.

- acentuando a voz a cada 4 e a mão a cada 3, reger os acentos da *voz*.

A realização ideal dos exercícios se dará quando você, conscientemente, conseguir separar sua atenção em dois hemisférios. Em um deles se encontram o ritmo, os tempos do compasso e a regência, no outro, a sequência de colcheias pontuadas, o ostinato.

Unindo estes dois hemisférios, se encontra a subdivisão, tanto da semínima quanto da colcheia pontuada: as semicolcheias, a pulsação que vai servir de medida para o ritmo, os tempos e o ostinato.

Pode-se então concluir que o centro deste globo é a sequência de semicolcheias. É este centro que vai dar a medida para tudo o que vai acontecer no exercício.

Portanto, qualquer relação que você tenha tendência a fazer entre o ostinato de colcheias pontuadas e os tempos do compasso deve ser evitada. Isto criaria um novo ritmo, resultante desta relação, que descaracterizaria o sentido musical do exercício.

Tenha por base somente o *centro*, as semicolcheias, a medida.

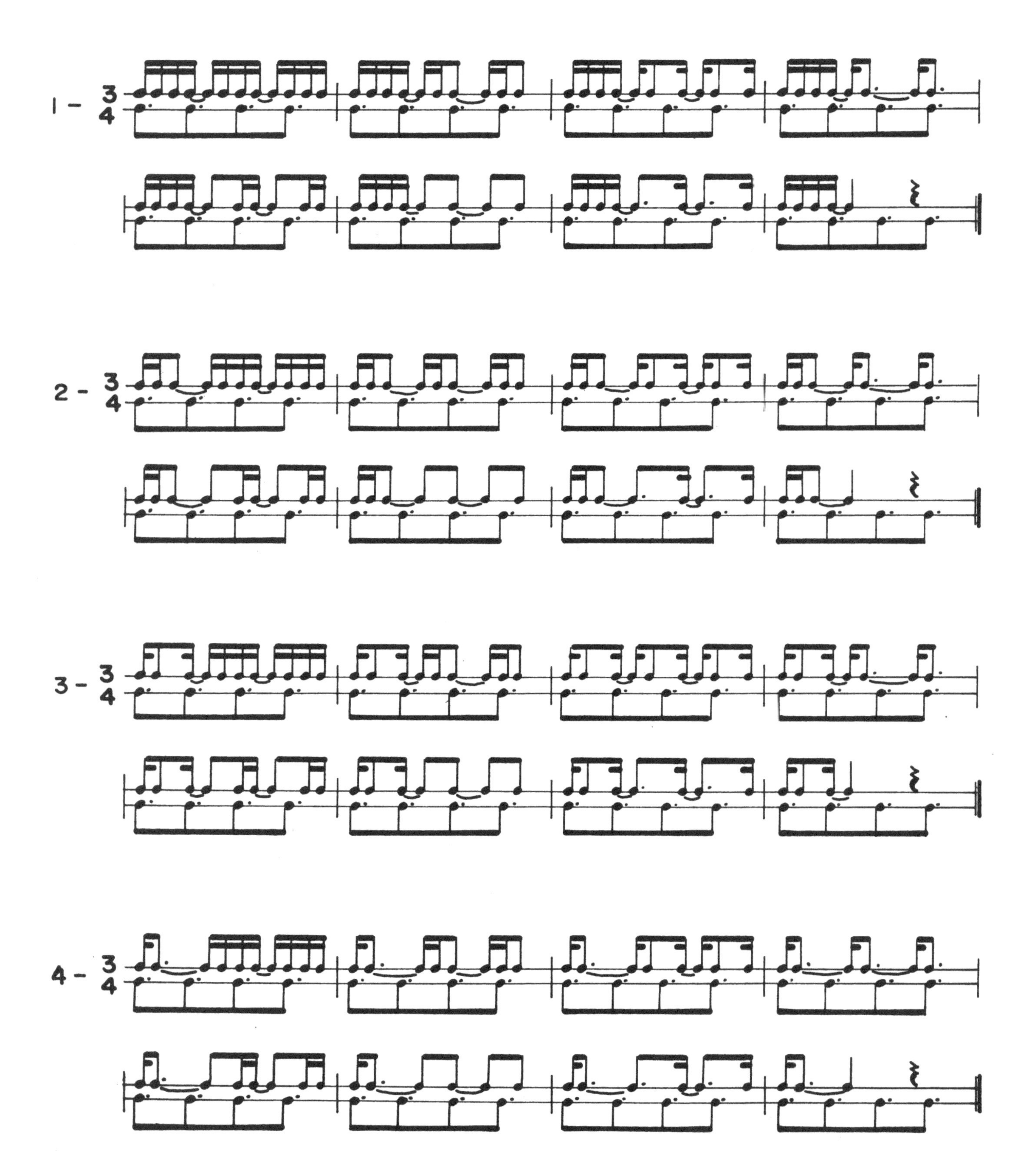
1 -
3
4
2 -
3
4
3 -
3
4
4 -
3
4

5 -
3
4
6 -
3
4
7 -
3
4
8 -
3
4

9 -
10 -
11 -
12 -

Muitos Divertimentos em 4/♪

Como realizar:

- cantar a voz superior
- bater a voz inferior com uma das mãos.
- reger o compasso 4/♪

Exercício preparatório:

- cante 12 semicolcheias, acentuando a cada 4 e marcando com a mão os acentos

- a seguir mude a acentuação: acentue a cada 3 semicolcheias, mantendo a mão batendo a cada 4

Observação importante: não mude o andamento das semicolcheias quando trocar as acentuações.

- acentuando a voz a cada 3 e a mão a cada 4 semicolcheias, reger os acentos da voz.

É importante lembrar das observações do exercício "12 divertimentos em $\frac{3}{4}$", que enfatizam a independência entre a voz superior e a inferior. Sentir sempre o compasso quaternário, independente do ostinato ternário que acontece na outra voz.

1-
2-
3-
4-

5 -
6 -
7 -
8 -

9 -
10 -
11 -
12 -

13-
14-
15-
16-

17-
18-
19-
20-

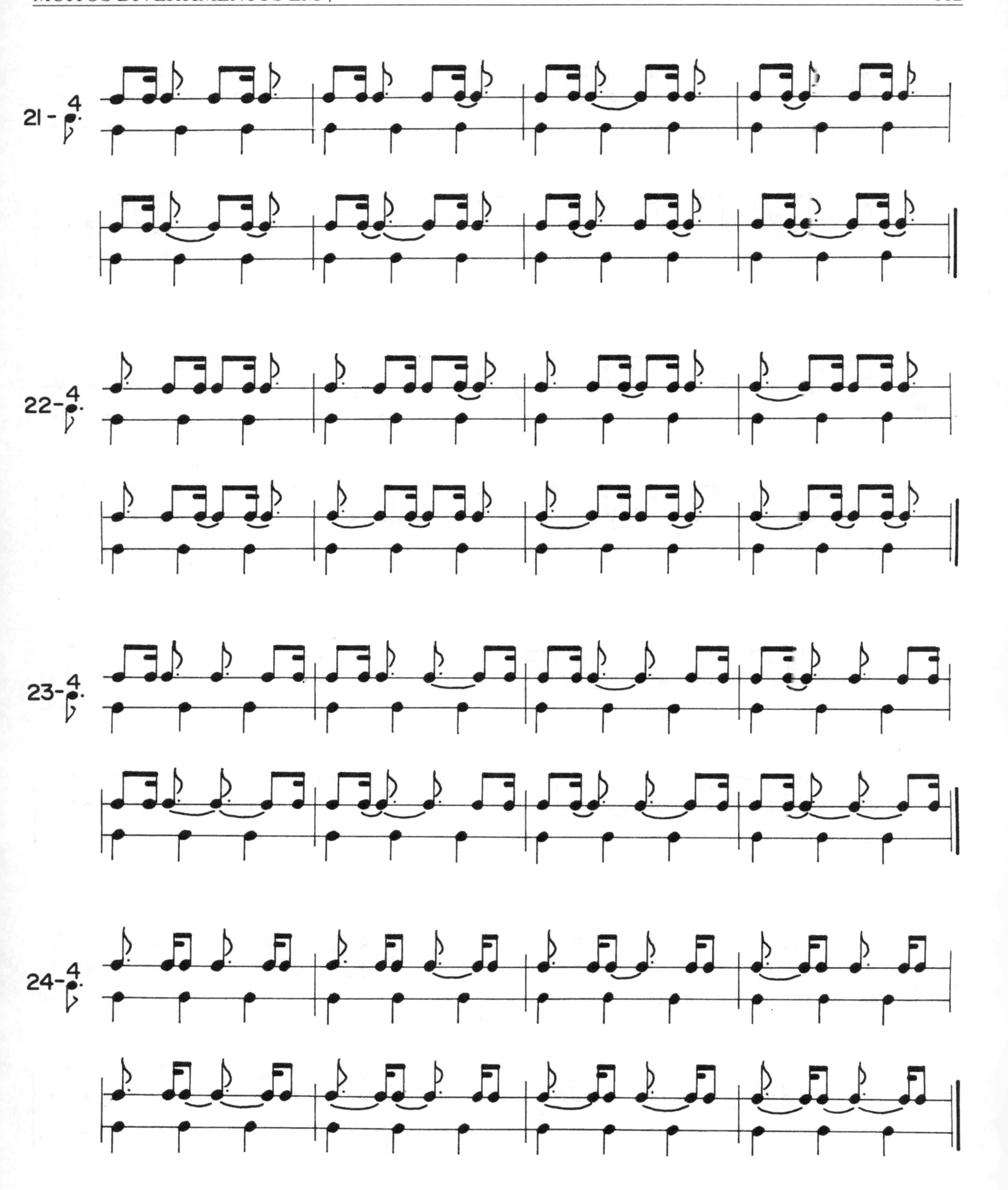
21 - 4
22- 4
23- 4
24- 4

25 -
4
26 -
4
27 -
4
28 -
4

8 Divertimentos em $\frac{7}{16}$

Como realizar:
- cantar a voz superior
- bater a voz inferior com uma das mãos
- reger o compasso $\frac{7}{16}$ (dois impulsos) com a outra mão

Observação importante: não mude a acentuação da célula rítmica em função do ostinato da outra voz.

1 – 7/16

2 – 7/16

3 – 7/16

4 – 7/16

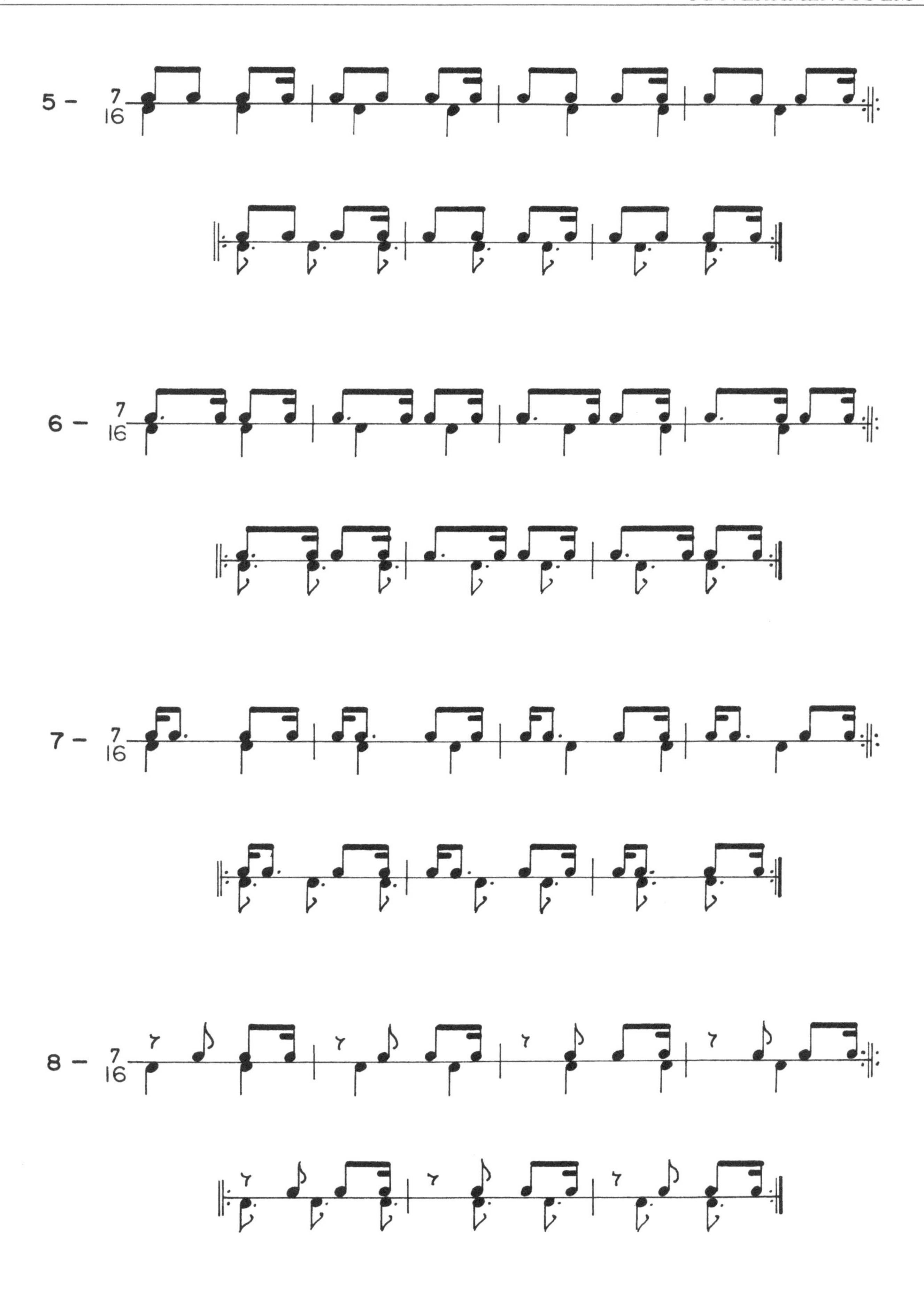
5 -
6 -
7 -
8 -

8 Divertimentos em $\frac{2}{8}$

Como realizar:

- cantar a voz superior
- bater a voz inferior com uma das mãos (grave – punho, agudo – ponta dos dedos)
- reger o compasso $\frac{2}{8}$

Observação importante: não mude a acentuação da célula rítmica em função do ostinato da outra voz.

1 -
2
8
2 -
2
8
3 -
2
8
4 -
2
8

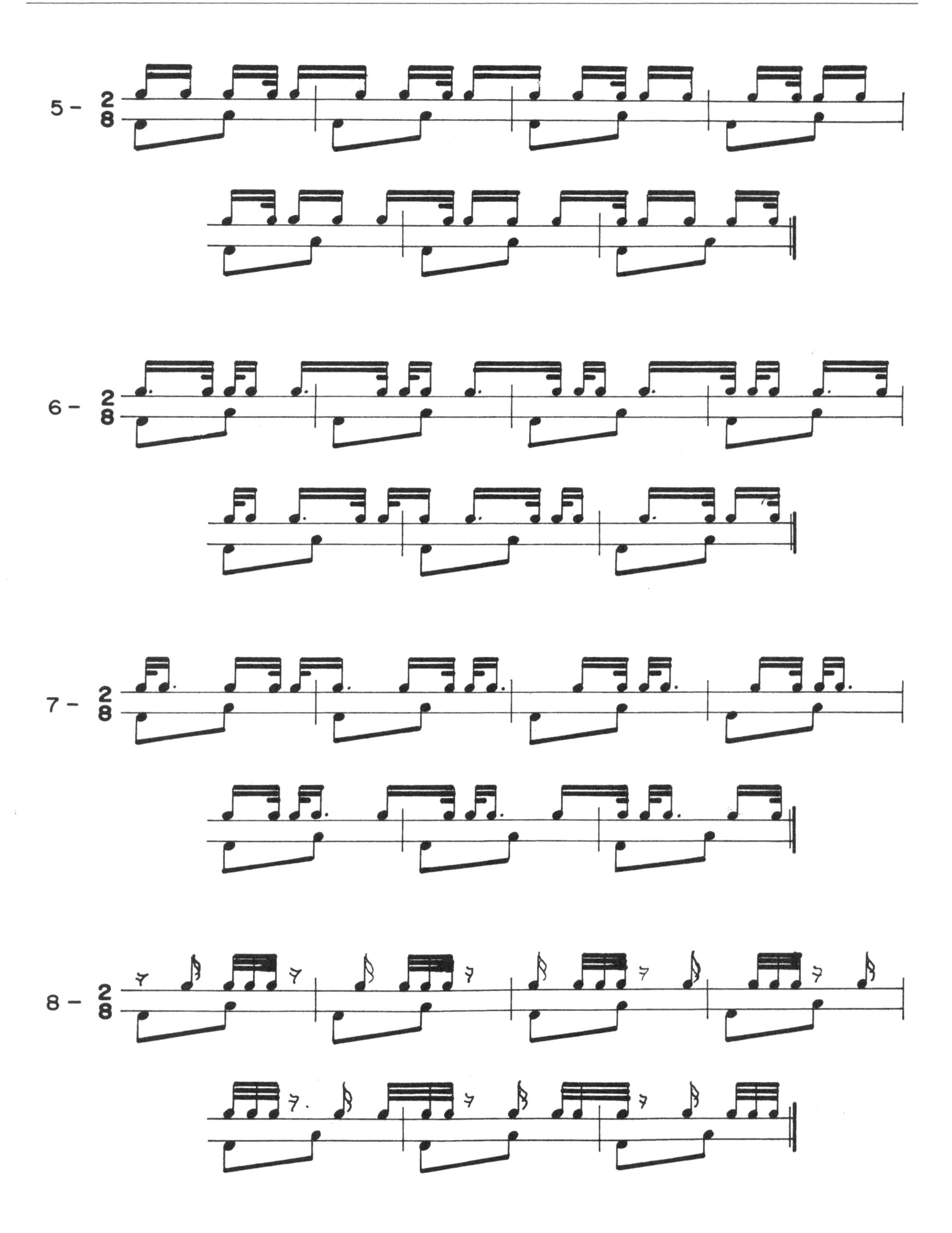
5 -
2
8
6 -
2
8
7 -
2
8
8 -
2
8

Pavanas I e II

Como realizar:

- cantar a voz superior
- bater a voz inferior com uma das mãos (grave – punho, agudo – ponta dos dedos)
- reger com a outra mão o compasso $\frac{2}{4}$

O ostinato é formado por dois valores: semínimas e colcheias pontuadas, e variações. É imprescindível que se sinta o "balanço" do ostinato, e se guie somente por ele para a realização do exercício.

Pode-se, em fase inicial, fazer o exercício sem regência:

- cantar a voz superior
- voz inferior: grave – pés
agudo – palmas

Também é interessante fazer o exercício sem a voz superior:

- contar em voz alta os tempos do compasso $\frac{2}{4}$
- bater o ostinato com mão ou pés e palmas.

2
4

2
4

Alternando I, II, III, IV, V

ALTERNANDO I

Como realizar:
- cantar a voz superior
- bater a voz inferior com uma das mãos
- reger as mudanças de compasso com a outra mão

ALTERNANDO II

Como realizar:
- cantar a voz superior
- bater a voz inferior com uma das mãos
- reger as mudanças de compasso com a outra mão

Observação: no exercício Alternando II – b – as pausas dos compassos $\frac{2}{4}$ deverão ser contadas em voz alta.

- em – b1 –, improvisar nos compassos $\frac{6}{8}$
- em – b2 –, improvisar nos compassos $\frac{2}{4}$

ALTERNANDOS III e IV

Como realizar: Exercício – a –
- bater o ostinato com uma das mãos (grave – punho, agudo – ponta dos dedos)
- reger com a outra mão as mudanças de compasso, contando em voz alta os tempos.

Exercício – b –
- cantar a voz superior
- bater a voz inferior com uma das mãos (punho e ponta)
- reger as mudanças de compasso com a outra mão.

ALTERNANDO V

Como realizar:
- cantar a voz superior
- bater o ostinato com uma das mãos (grave – punho, agudo – ponta dos dedos)
- reger com a outra mão as mudanças de compasso

Observação: reger $\frac{6}{8}$ a dois.

reger $\frac{5}{8}$ em 2 movimentos: semínima e semínima pontuada.

a) 6 2
8 4

b) 6 2
8 4

a)
b)
b1- improvisar
b2- improvisar

a)
b)

Leituras com Ostinato Rítmico

São leituras rítmicas com acompanhamento de um ostinato. As frases contêm muita mudança de compasso, e aí está o maior interesse – a contraposição do ostinato a estas mudanças, sem mudar o caráter da frase rítmica, sem subordinar a voz superior ao ostinato.

Como realizar:
Cantar, bater e reger.
Canto – voz superior
Mão esquerda (ou direita) – voz inferior. O ostinato vai aparecer normalmente em dois planos: grave e agudo. Realize com uma só mão, utilizando o punho para os graves e a ponta dos dedos para os agudos.
Mão direita (ou esquerda) – reger a voz superior.

O exercício:
Nestes exercícios vamos ter que falar novamente no paralelismo. Não deve haver subordinação da frase rítmica ao ostinato. São duas ideias horizontais, que acontecem paralelamente. Não tente "encaixar" uma voz na outra. São dois acontecimentos independentes, cada um com sua personalidade.

Faça com que a mão que esteja regendo seja a peça fundamental do exercício. Ela deve comandar a voz, e não o contrário.

Observações e sugestões:
Você pode começar a estudar excluindo uma voz. Por exemplo:
1) voz e ostinato (bom)
2) voz e regência (fácil)
3) ostinato e regência (o mais importante)

É muito interessante que você escreva em um papel todas as fórmulas de compasso da leitura, e estude regendo e contando os tempos destes compassos e batendo o ostinato. Assim você não será tentado a subordinar um ao outro. Por exemplo: Fifrilim:

2 2 3 2 2 2 2 3 2 3 2 3 2 3 2 3 3 2 3 2
4 4 8 4 4 4 4 8 4 8 4 8 4 8 4 8 8 4 8 4 etc.

Outra sugestão é que se copie a frase rítmica (sem o ostinato) e se estude cantando, batendo o ostinato (sem ler, somente sentindo sua regularidade) e regendo os compassos.

Outras sugestões:

- coloque uma melodia na frase rítmica.
- realize com 2, 3 ou mais pessoas, distribuindo as vozes.
- modifique o ostinato.
- etc.

A finalidade principal dos exercícios é conseguir realizar musicalmente a ideia rítmica, desvinculando-a o mais possível da regularidade do ostinato.

Os ostinatos estarão sempre marcando algum compasso regular. A frase da voz superior deve "pairar" sobre o ostinato, livre, com sua própria personalidade.

FIFRILIM

A palavra é de Guimarães Rosa, significando "coisinha pouca", pouca coisa.

O ostinato é bem simples, composto somente de semínimas alternando-se entre grave e agudo, algo como dominante e tônica.

A frase rítmica, com características de uma pequena marcha, é quebrada por intervenções em compasso ternário, voltando a marcha em relação diferente com o ostinato.

É uma peça de realização fácil, e o resultado bem agradável, balançado. Coisinha à toa...

Observação: quando você estiver realizando o exercício em andamento próximo de Allegro, reger o $\frac{3}{8}$ em I.

Para estudar contando os tempos dos compassos, regendo os compassos e batendo o ostinato:

$\frac{2}{4}$ $\frac{2}{4}$ $\frac{3}{8}$ $\frac{2}{4}$ $\frac{2}{4}$ $\frac{2}{4}$ $\frac{2}{4}$ $\frac{3}{8}$ $\frac{2}{4}$ $\frac{3}{8}$

$\frac{2}{4}$ $\frac{3}{8}$ $\frac{2}{4}$ $\frac{3}{8}$ $\frac{2}{4}$ $\frac{3}{8}$ $\frac{3}{8}$ $\frac{2}{4}$ $\frac{3}{8}$ $\frac{2}{4}$

$\frac{3}{8}$ $\frac{2}{4}$ $\frac{3}{8}$ $\frac{2}{4}$ $\frac{3}{8}$ $\frac{3}{8}$ $\frac{2}{4}$ $\frac{2}{4}$ $\frac{3}{8}$ $\frac{3}{8}$

$\frac{2}{4}$ $\frac{3}{8}$ $\frac{2}{4}$ $\frac{2}{4}$ $\frac{3}{8}$ $\frac{3}{8}$ $\frac{2}{4}$ $\frac{3}{8}$ $\frac{2}{4}$ $\frac{3}{8}$ $\frac{2}{4}$

2
4
3
8
2
4
3
8
2
4
2
4
3
8
2
4
3
8
2
4
2
4
3
8
2
4
3
8
2
4
3
8
2
4
3
8

TAMBALEIO

A palavra aparece em um dos livros de Guimarães Rosa. O seu significado não sei, mas me dá ideia de dança, balanço.

O ostinato, composto de uma semínima e duas colcheias, deve ser realizado com um grande acento na semínima (forte) e as colcheias em um plano bem inferior de intensidade (piano).

As intervenções em $\frac{3}{8}$ deslocam os apoios do compasso $\frac{2}{4}$ para novas relações com o ostinato.

É importante que nos compassos onde aparecem pausas na voz você continue a sentir interiormente o compasso $\frac{2}{4}$, principalmente o seu tempo forte.

Para estudar batendo o ostinato e regendo a sequência de mudanças de compasso, contando os tempos:

$\frac{2}{4} \quad \frac{2}{4} \quad \frac{2}{4} \quad \frac{3}{8} \quad \frac{2}{4} \quad \frac{3}{8} \quad \frac{2}{4} \quad \frac{2}{4} \quad \frac{2}{4} \quad \frac{2}{4}$

$\frac{2}{4} \quad \frac{3}{8} \quad \frac{2}{4} \quad \frac{2}{4} \quad \frac{2}{4} \quad \frac{2}{4} \quad \frac{2}{4} \quad \frac{3}{8} \quad \frac{3}{8} \quad \frac{2}{4}$

$\frac{2}{4} \quad \frac{2}{4} \quad \frac{2}{4} \quad \frac{2}{4} \quad \frac{2}{4} \quad \frac{3}{8} \quad \frac{2}{4} \quad \frac{3}{8} \quad \frac{3}{8} \quad \frac{2}{4} \quad \frac{2}{4}$

- inverter as mãos

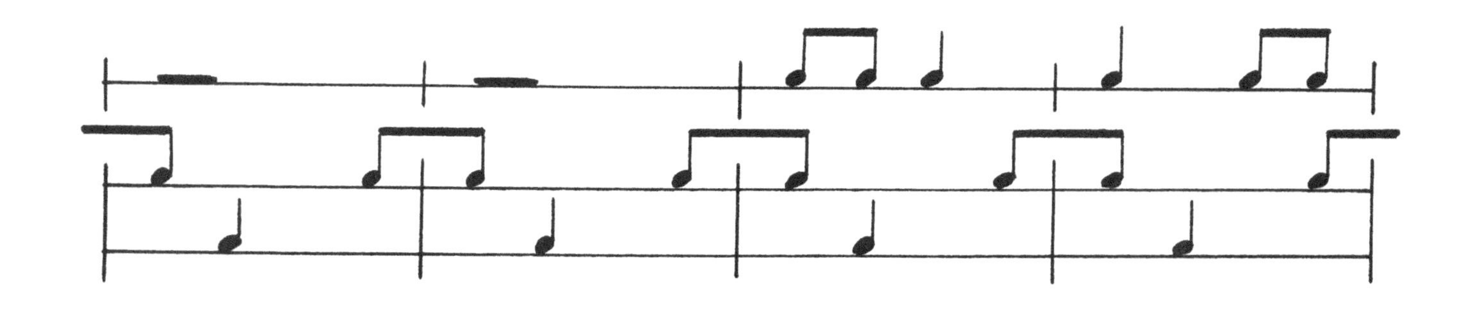

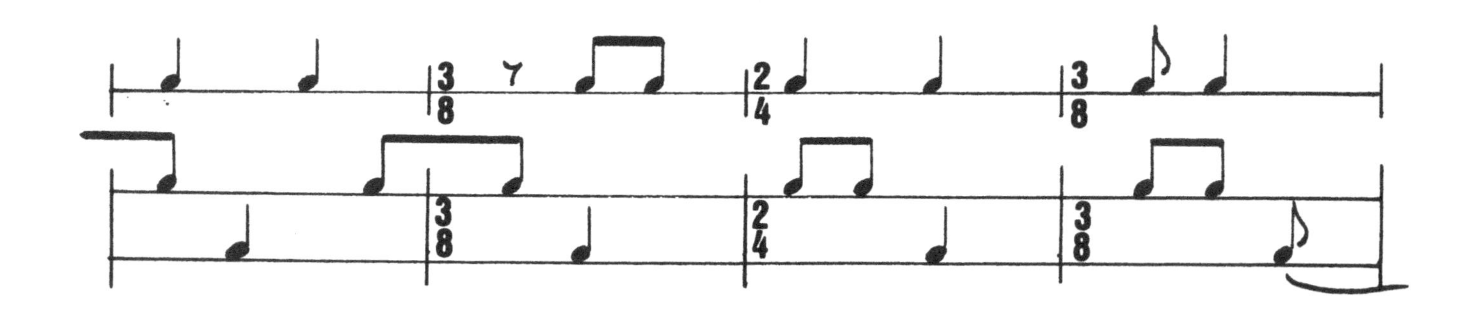

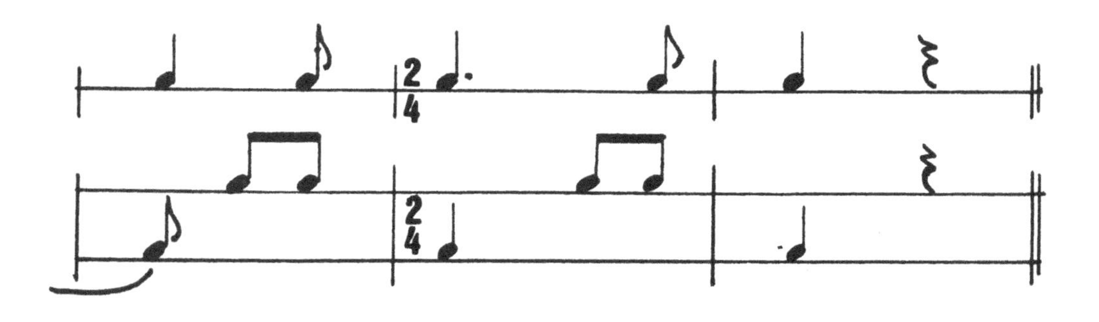

ALGARAVIA

Palavra de origem árabe, "linguagem confusa e ininteligível". A leitura não é tão confusa!

Acentue sempre a colcheia grave do ostinato. Tente sentir o ostinato sempre em $\frac{2}{4}$, apesar do deslocamento da voz superior.

Subdivida o compasso $\frac{5}{8}$ em 3 e 2.

Para estudar marcando o ostinato e regendo a sequência de mudanças de compasso, contando os tempos:

$\frac{2}{4}$ $\frac{2}{4}$ $\frac{3}{8}$ $\frac{2}{4}$ $\frac{2}{4}$ $\frac{3}{8}$ $\frac{3}{8}$ $\frac{3}{4}$ $\frac{3}{4}$ $\frac{5}{8}$

$\frac{3}{4}$ $\frac{3}{4}$ $\frac{3}{8}$ $\frac{3}{8}$ $\frac{2}{4}$ $\frac{2}{4}$ $\frac{3}{8}$ $\frac{3}{8}$ $\frac{2}{4}$ $\frac{3}{8}$

$\frac{3}{8}$ $\frac{2}{4}$ $\frac{3}{8}$ $\frac{3}{8}$ $\frac{2}{4}$ $\frac{3}{8}$ $\frac{3}{8}$ $\frac{2}{4}$ $\frac{3}{8}$

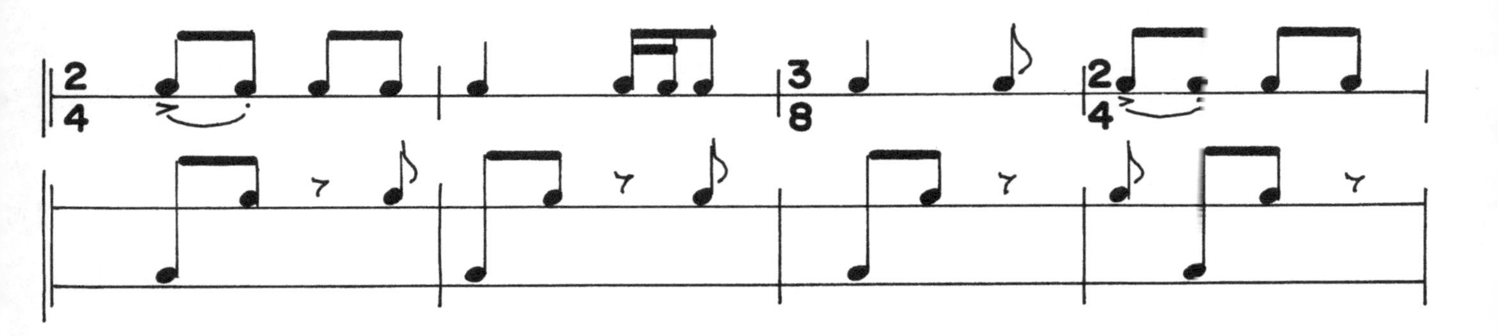

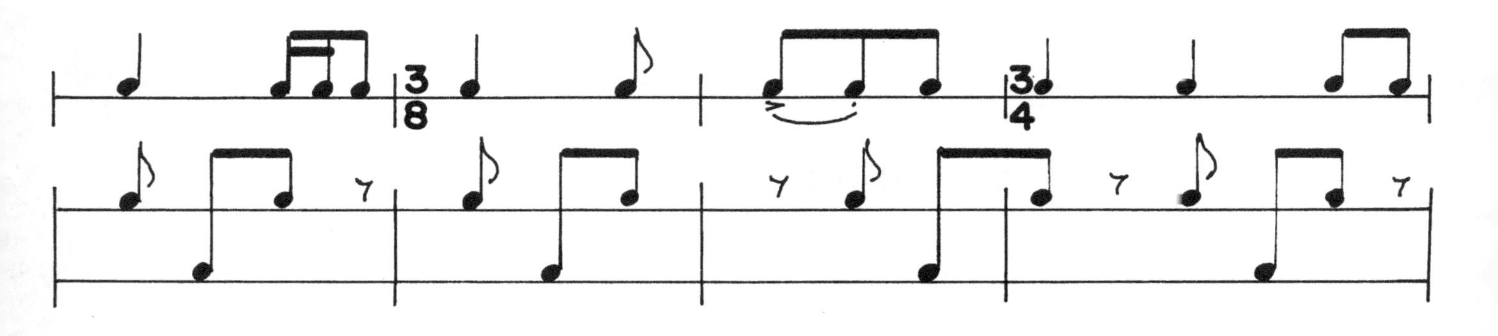

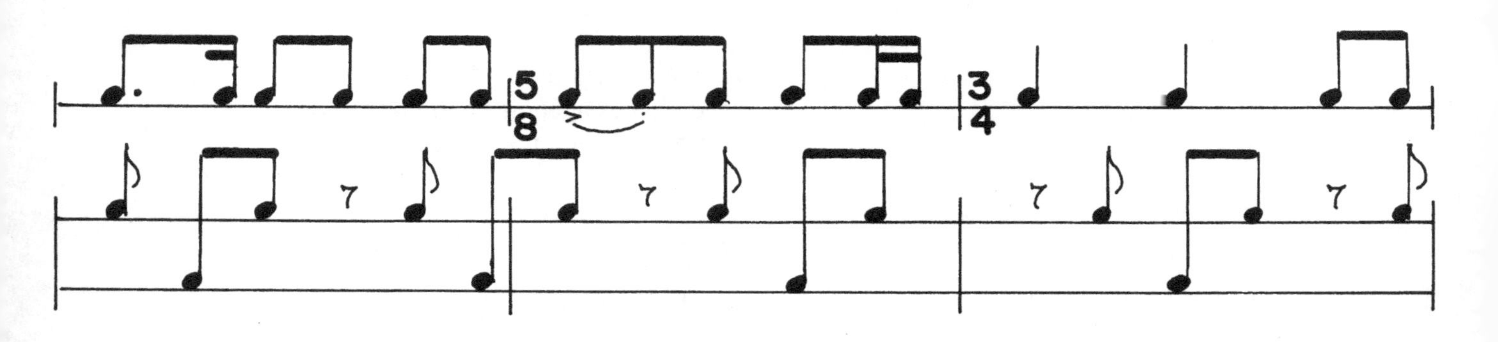

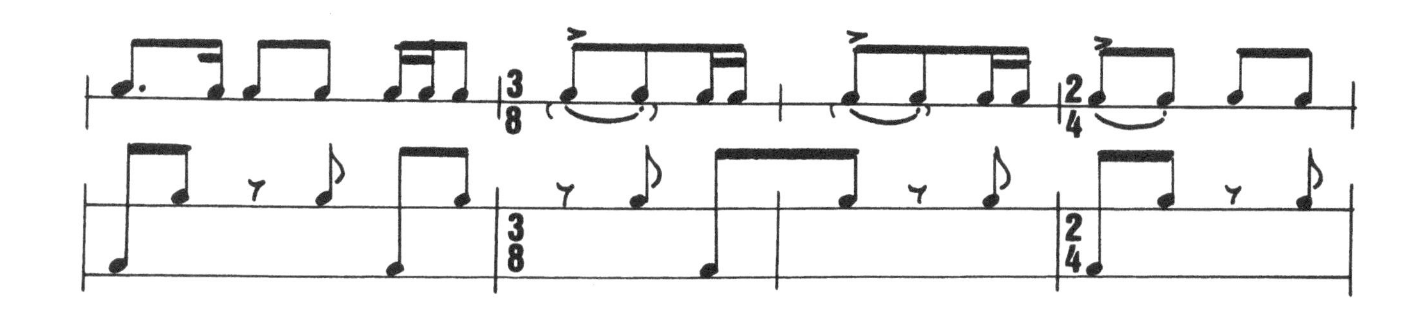

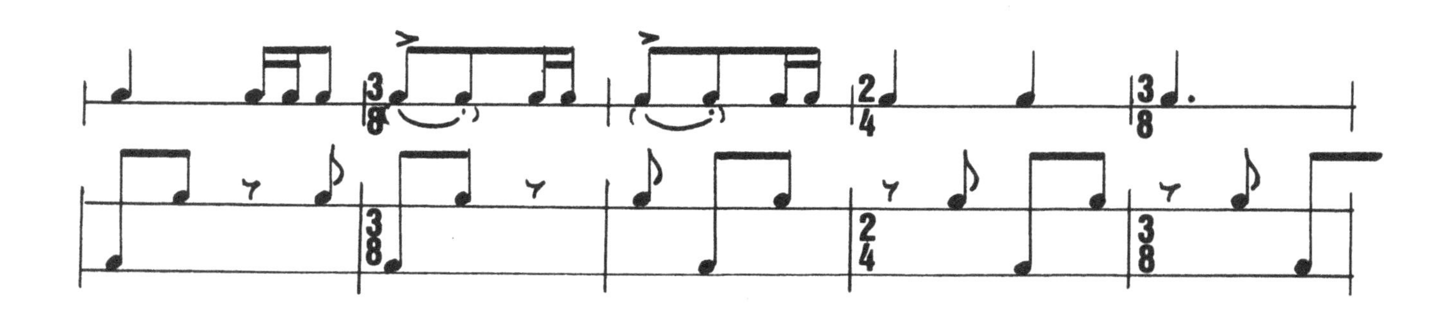

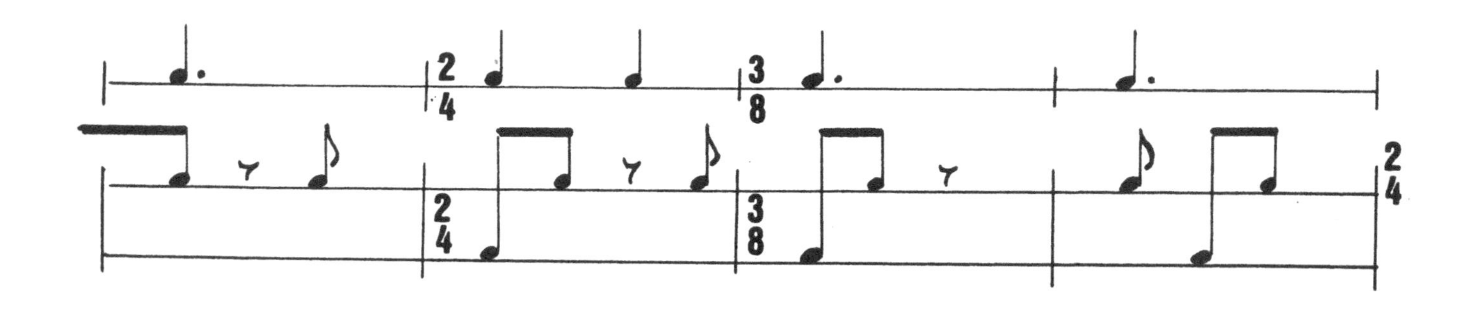

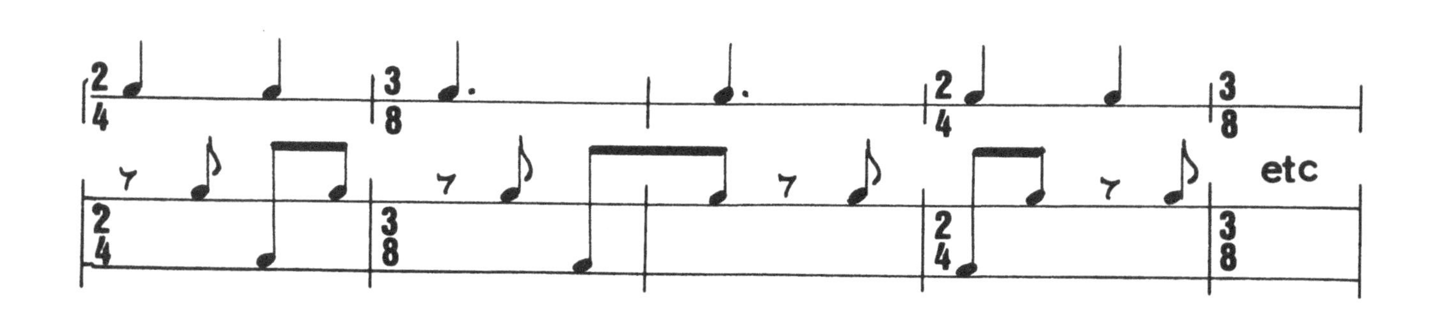
etc

FANFARRA

Como realizar:
- cantar a voz superior
- bater com uma das mãos a voz inferior (punho e ponta)
- reger os compassos com a outra mão.

No primeiro trecho, todo em $\frac{3}{4}$ contraposto a uma sequência de colcheias pontuadas, concentrar a atenção na regência, que funciona como base. Em caso de dificuldade, recorrer ao exercício preparatório de "12 divertimentos em $\frac{3}{4}$".

No segundo trecho aparecem 4 compassos $\frac{5}{8}$. Reger:
2-3,3-2,2-3,3-2.

No terceiro trecho, o $\frac{3}{8}$ pode ser regido em 1.

3
4
3
(Fim)
3
8
5
8
2
4
5
8
3
8
3
8
5
8
2
4
5
8
3 3
4 8

D. C. do
Fim

TIROLIRA

Como realizar:

- cantar a voz superior
- bater a voz inferior com uma das mãos (punho e ponta)
- reger as mudanças de compasso com a outra mão.

No primeiro trecho (4 primeiras linhas) os compassos $\frac{5}{8}$ devem ser regidos 2-3.

No segundo trecho (3 linhas seguintes) os compassos $\frac{5}{8}$ devem ser regidos: 3-2, 3-2, 2-3, 2-3, 3-2, 3-2, 2-3, 2-3.

No último trecho (3 linhas finais), reger $\frac{6}{8}$ em 2.

2
4
5
8
2
4
2
4
5
8
2
4
2
4
5
8
2
4
2
4
5
8

2
4
3
8
3
8
2
4
5
8
3
8
3
8
2
4
5
8
6
8
6
8

PIRILÂMPSIAS

Uma frase rítmica em compasso $\frac{2}{4}$ é quebrada aqui e ali por "alegres" grupos de 3 semicolcheias.

Porém o ostinato binário mantém sua regularidade e não interfere na brincadeira da voz superior e regência.

A frase aparece duas vezes (12 + 12 compassos). Na segunda vez a relação entre voz superior e inferior é diferente da primeira vez.

Para estudar batendo o ostinato e regendo a sequência de mudanças de compasso, contando os tempos:

2/4 2/4 2/♪. 2/4 2/4 3/♪. 2/4 2/4 2/♪. 2/4 2/4 3/♪. 2/4 2/4

2/♪. 2/4 2/4 3/♪. 2/4 2/4 2/♪. 2/4 2/4 3/♪.

Exercícios sobre Ostinato em Estilo bem Brasileiro

Leituras 1 e 2

Como realizar:
- cantar a voz superior
- bater a voz inferior (grave – pés; agudo – palmas)

ou

- cantar voz superior
- bater voz inferior com uma das mãos (punho e ponta)
- reger o compasso

ou

- em dois grupos ou duas pessoas

IA
2
4
IB
2
4
IC
2
4
ID
2
4

2A
2
4
2B
2
4
2C
2
4
2D
2
4

Sambas

SAMBA I

Mantenha sempre a acentuação correta na voz superior. Não adapte as acentuações ao ritmo que está acontecendo na voz inferior.

A voz inferior realiza a marcação básica de samba: colcheia pontuada e semicolcheia. O ideal é que se acentue a colcheia pontuada a cada dois grupos rítmicos, pensando em compasso $\frac{2}{4}$.

2 5
4 16

SAMBA II

Manter a acentuação da voz superior independente das vozes inferiores

Ao "acompanhamento", agora, é acrescentada uma voz que realiza o contratempo em relação à marcação de colcheia pontuada e semicolcheia; seria o que realiza o Ximbau na bateria (pé esquerdo).

Faça os contratempos com a mão direita e o ostinato com a mão esquerda. Inverta.

Será bom começar estudando as duas vozes inferiores para tomar bastante consciência do ritmo base. Estude depois a voz superior e o ostinato de colcheia pontuada e semicolcheia. E depois faça a voz superior e os contratempos. Finalmente junte todas as vozes.

Já deu para perceber que Samba é simplesmente um título, não? Ou será que dá para dançar?

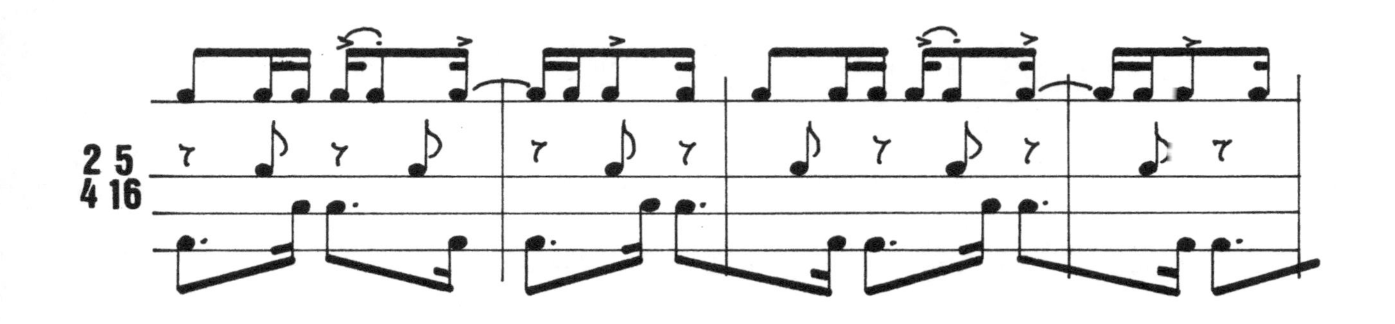
2 5
4 16

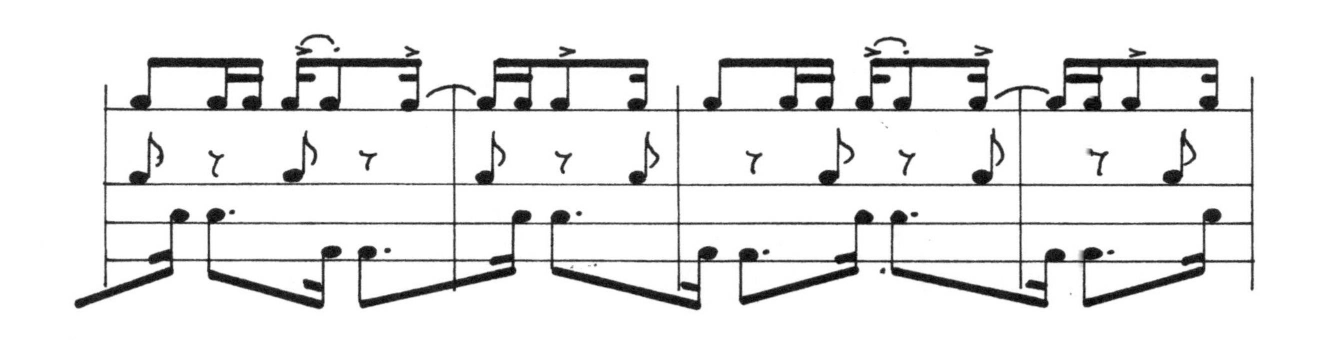

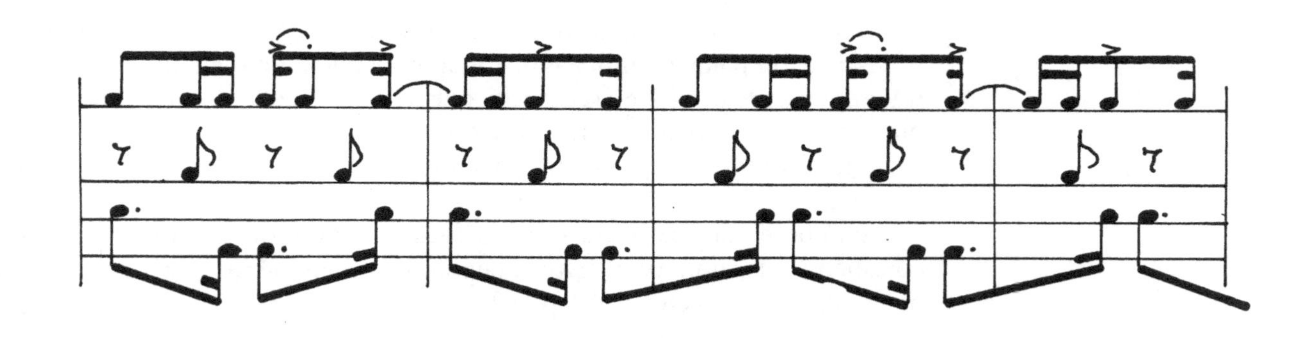

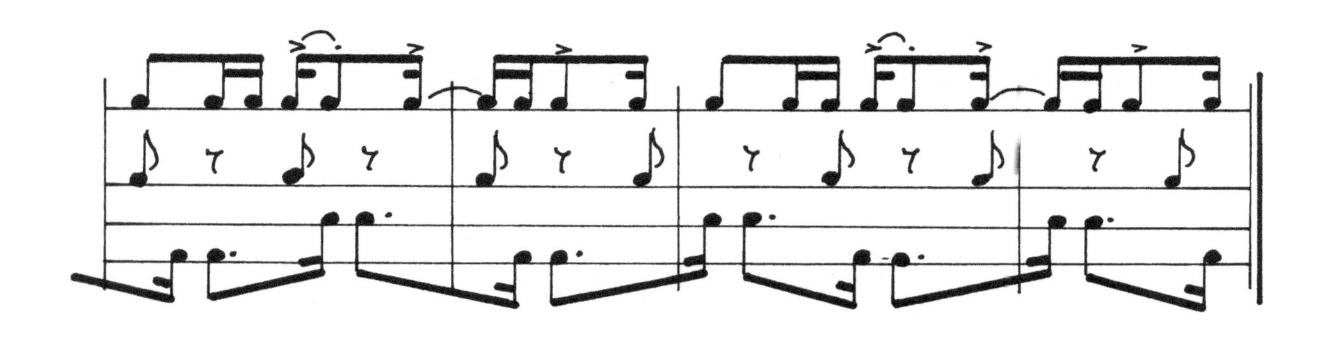

SAMBA III

Este samba é realmente difícil de dançar. O ostinato na voz inferior obedece agora aos compassos da voz superior, $\frac{2}{4}$ e $\frac{5}{16}$. A única voz que permanece regular é a central, que faz os contratempos, agora relacionados a uma voz "oculta" que estaria realizando os tempos regulares no compasso $\frac{2}{4}$.

A primeira fase de estudo deve ser o "acompanhamento", como está escrito nos oito primeiros compassos. Para a voz inferior utilize punho e ponta dos dedos. Os contratempos devem ser realizados de preferência com um som bem diferenciado da voz inferior, estalando os dedos da outra mão, ou batendo com um lápis sobre a mesa etc. Tente sentir o compasso $\frac{2}{4}$ constante, para conseguir realizar bem os contratempos.

A seguir talvez seja interessante estudar a voz superior e os contratempos, lembrando que as acentuações não devem sofrer nenhuma modificação em função da constância dos contratempos.

Finalmente realize as três vozes simultâneas. Perceba a relação da voz superior com a inferior. Sinta o compasso binário da voz central.

Se você toca bateria poderá realizar o exercício da seguinte maneira: voz superior, prato (mão direita); voz central, ximbau; voz inferior, bumbo, e ainda sobra uma mão para você criar à vontade!

2 5
4 16

SAMBA IV

Este samba é dividido em dois exercícios. O primeiro apresenta os elementos que vão compor o acompanhamento. Então teremos a frase rítmica realizada com acompanhamento de semínimas e depois acompanhada por colcheias pontuadas. Não modifique a acentuação da frase em função do acompanhamento. Cante a voz superior e bata a voz inferior. Quando estiver realizando bem naturalmente o exercício, acrescente a outra mão, regendo os compassos.

No segundo exercício, os dois acompanhamentos acontecem simultâneos à voz superior. O resultado será a frase da voz superior acompanhada de um polir-ritmo (4 × 3). Mas, tente não se basear na relação polirrítmica para realizar o acompanhamento. Baseie-se somente na regularidade das duas sequências, de semínimas e de colcheias pontuadas. Cante a voz superior, bata com a mão direita a voz central e com a mão esquerda a voz inferior. Inverta as mãos.

2 3
4 8
2 3
4 8

SAMBA V

Este exercício deve ser realizado a três vozes: cantar a voz superior, bater a voz inferior e reger os compassos.

Na primeira parte o problema enfocado com maior ênfase é a síncopa. Não deve haver subordinação da voz superior à voz inferior. Evite cantar *Ta-á*, acentuando a chegada do som ao tempo forte. Se você fizer assim estará descaracterizando a sincopa.

A segunda parte, escrita em compasso $\frac{3}{4}$ apresenta uma relação polirrítmica: você estará cantando e regendo em compasso temário, enquanto a voz inferior se apresenta em caráter quaternário. Tente sentir os dois compassos, temário e quaternário, como duas ideias independentes, cada um com sua personalidade. Não "encaixe" um no outro, pois o resultado seria pouco verdadeiro musicalmente.

Fim
ao 𝄋 e ⊕
D.C do
Fim

Melodia em $\frac{6}{8}$

Apesar do compasso $\frac{6}{8}$, esta melodia está toda escrita em subdivisão quinária.

Como realizar:

- Cante a melodia (com o nome das notas ou só a altura) e marque com a mão (palmas, instrumento, lápis) a subdivisão do compasso $\frac{6}{8}$ (seis colcheias).

- Toque ao piano, com a mão esquerda tocando as colcheias do compasso $\frac{6}{8}$

- Cante e se acompanhe ao piano, violão etc...

O exercício:

O importante no exercício é não tentar "encaixar" o 5 dentro do 3. Você deve se basear somente nos dois tempos do compasso. Distribua as 5 semicolcheias dentro de cada semínima pontuada, sentindo o "tamanho" da semínima pontuada. A melodia é uma coisa, o acompanhamento é outra.

Se você estiver cantando e acompanhando-se ao piano ou violão, utilize-se das cifras dos acordes. Toque um ritmo de valsa. A primeira colcheia no baixo e as outras duas no acorde.

D7M
F7M
D7M
F7M
E7M
Dm7
E7M
Dm7
F7M
D7M
Dm7
E7M
F7M
D7M
F7M
D7M
Em7
D7M
Em7
D7M
F7M
D7M
Dm7
E7M

Valsa

Como realizar:

Exercício a)

- bater a voz superior com uma das mãos utilizando dois timbres diferentes.
- bater a voz inferior com a outra mão (grave – punho; agudo – ponta dos dedos)

Exercício b)

- cantar a voz superior:
  grave: TUM – agudo: TCHI
- bater a voz inferior com as duas mãos: uma bate o grave, a outra o agudo. (Estudar também com uma só mão: punho e ponta dos dedos. Neste caso, pode-se acrescentar regência da voz superior, ternário composto.)

Exercício c)

- tocar ao piano

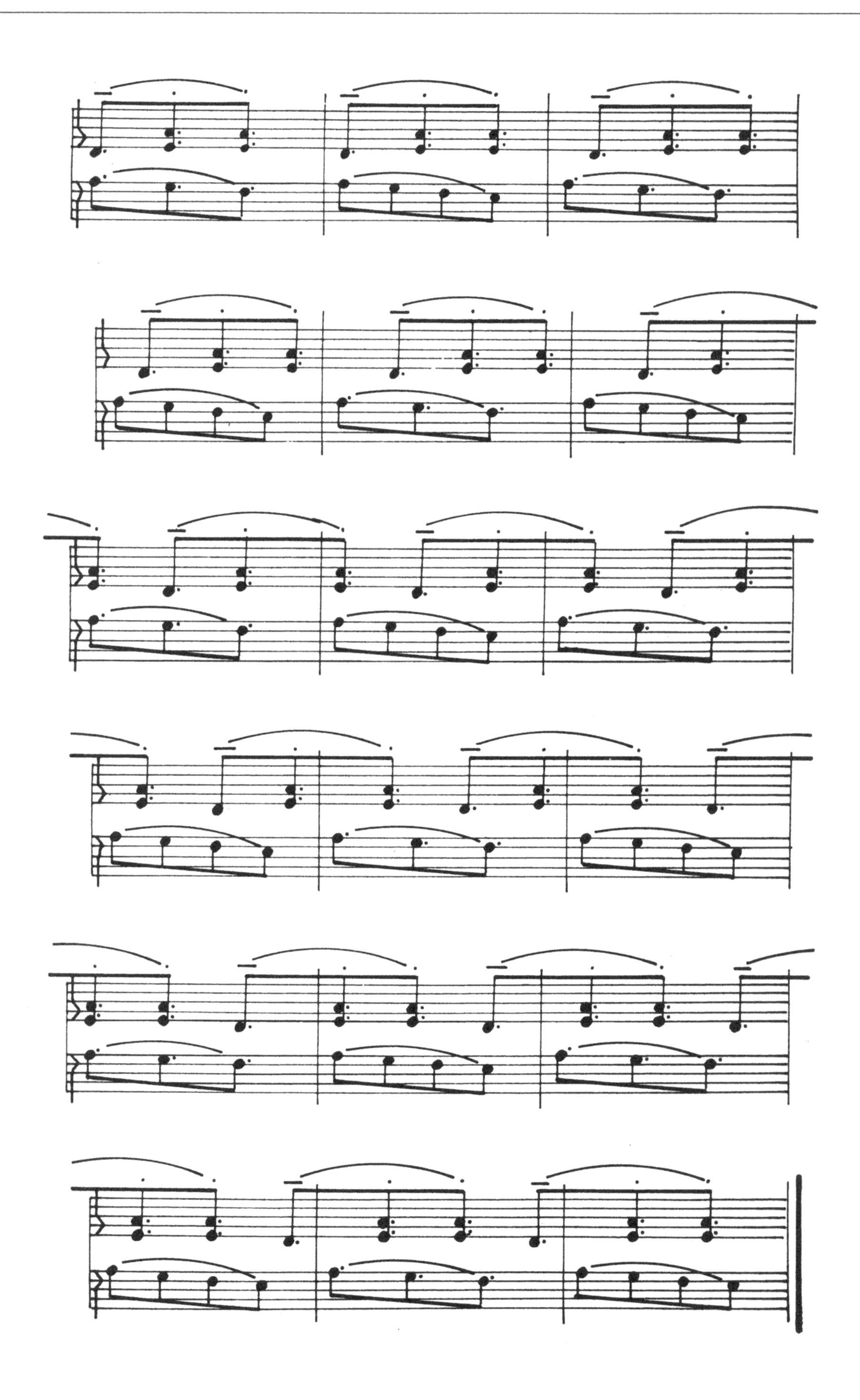

Leitura em $\frac{4}{8}$

Como realizar:

a)
- cantar a voz superior
- bater a voz inferior com pés e palmas: pés, colcheia pontuada – palmas, semicolcheias

b)
- cantar a voz superior
- bater a voz inferior com uma das mãos, ou dividindo a célula rítmica entre as duas mãos
- marcar com os pés o 1º tempo de todos os compassos.

c)
- cantar a voz superior
- bater a voz inferior com uma das mãos
- reger o compasso $\frac{4}{8}$

Observação: Os apoios rítmicos da voz inferior deverão recair sempre sobre as colcheias pontuadas.

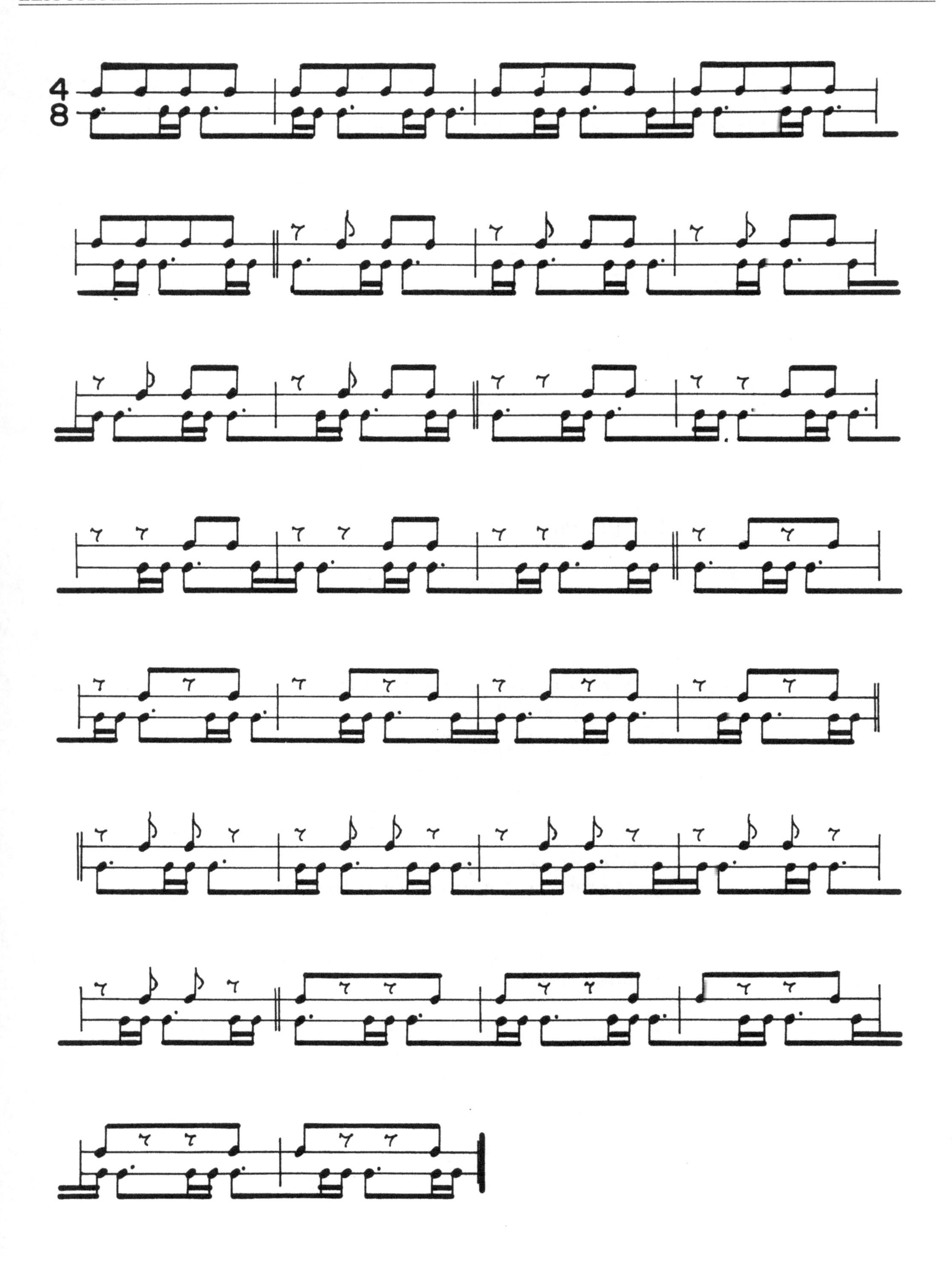

Leitura em $\frac{9}{16}$ nº 1

Como realizar:

- cantar a voz superior
- bater a voz inferior com uma das mãos (grave – punho; agudo – ponta dos dedos)
- reger sempre ternário composto

Nesta leitura a voz superior apresenta várias subdivisões do compasso $\frac{9}{16}$: 3+3+3 (ternário composto), 2+2+2+3, 2+3+2+2, 2+2+3+2, 3+2+2+2. A voz inferior se encontra sempre dentro da subdivisão 2+2+2+3.

9
16

Leitura em $\frac{9}{16}$ nº 2

Como *realizar*:

- cantar a voz superior
- bater a voz central com uma das mãos
- bater a voz inferior com os pés
- reger o compasso ternário composto

A voz superior se encontra sempre dentro da subdivisão 4+3+2. As vozes central e inferior apresentam alternância de duas ideias: ternário composto e subdivisão 4+3+2.

2 -
9
16

Acelerando e Ralentando

Como realizar:

- cantar a voz superior
- bater a voz inferior com uma das mãos (grave – punho, agudo – ponta dos dedos)
- reger o compasso $\frac{2}{4}$

Observação:

As anotações *acelerando* e *ralentando* só terão valor para a voz superior. Os tempos do compasso (voz inferior) não deverão sofrer modificação de andamento. Observar também que, tanto o acelerando como o ralentando deverão acontecer *gradativamente*, partindo da colcheia até atingir a semicolcheia, ou, partindo da semicolcheia, atingindo a colcheia.

O exercício pode ser trabalhado modificando-se o número de compassos em acelerando ou ralentando.

2
4
acelerando
3
ralentando
acel.
3
ral.

Estudo com Mudanças de Andamento

Como realizar:
cantar a voz superior

- bater a voz inferior com uma das mãos (grave – punho; agudo – ponta dos dedos)
- reger o compasso 2/4.

Observação:
As anotações "mais rápido" só terão valor para a voz superior. Os tempos do compasso (voz inferior) não deverão sofrer modificação de andamento.

mais rápido
igual
mais rápido
igual
mais rápido
igual
mais rápido

igual
mais rápido
igual
3
mais rápido
igual
mais rápido

Ternário e Quaternário

LEITURAS Nº 1 e 2

Como realizar:
- cantar a voz superior
- bater a voz inferior com uma das mãos
- reger o compasso $\frac{3}{4}$

Os exercícios nºs 1 e 2 são iguais em termos de valores. Porém, musicalmente refletem duas ideias diferentes. No exercício nº 1 o ritmo acontece através de síncopas, portanto a relação do ritmo com os tempos do compasso é bastante forte. Já no exercício nº 2, a ideia rítmica é *quaternária*, que se contrapõe aos três tempos do compasso. Portanto não pode haver subordinação do ritmo aos tempos; a relação deve surgir do todo (do tempo global do compasso) que neste caso é dividido em quatro partes.

É preciso respeitar a ideia quaternária. Não se deve chegar a ela partindo-se dos três tempos do compasso, pois então estaria acontecendo o ritmo do exercício nº 1, cuja ideia é ternária.

Também é desaconselhável que, para chegar-se à subdivisão quaternária em contraposição à ternária, se utilize esquemas de adição de uma subdivisão à outra, pois o ritmo gerado por esta adição estaria longe de apresentar caráter quaternário. Estes esquemas ou fórmulas talvez produzam um efeito mais imediato em termos de execução. Porém, a ideia musical geralmente é descaracterizada. São uma verdade aritmética, mas musicalmente não se pode dizer o mesmo.

O caminho mais saudável para conduzir o estudo deste problema, fora de dúvida, é sentir as duas subdivisões, 4 e 3, em relação ao todo e não uma em relação à outra.

No texto dos exercícios "12 divertimentos em $\frac{3}{4}$" há uma sugestão de como trabalhar este problema sem necessidade de lançar-se mão da fórmula matemática.

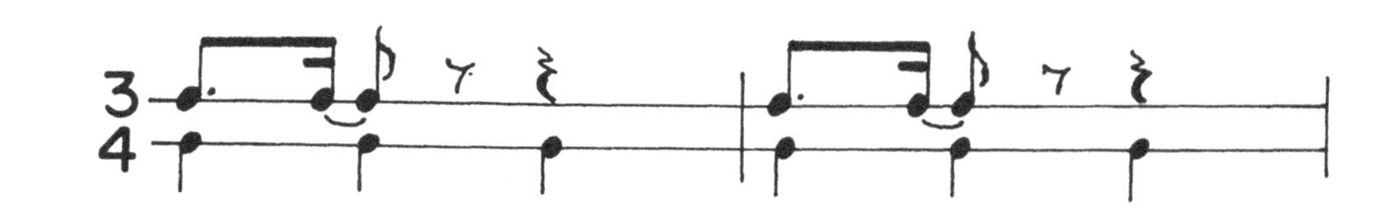

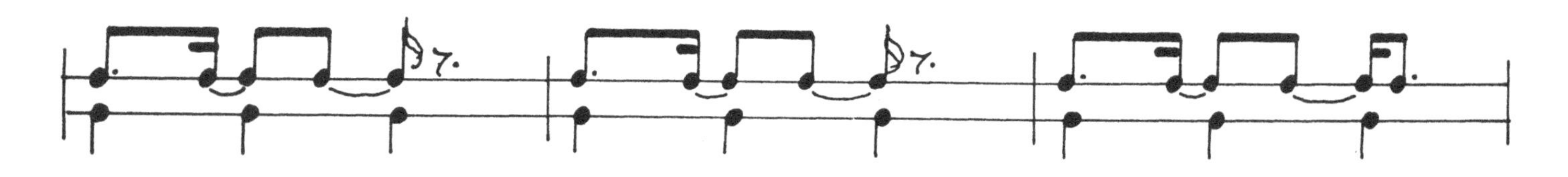

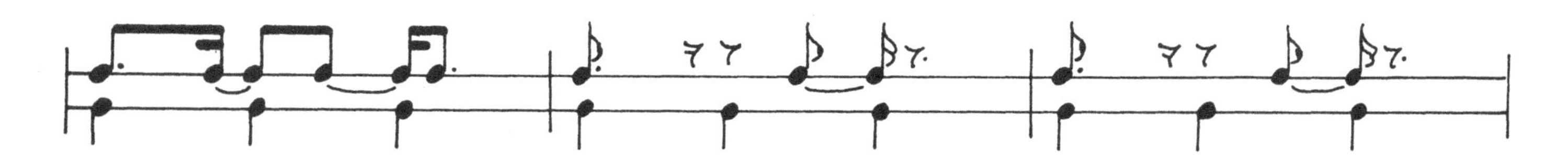

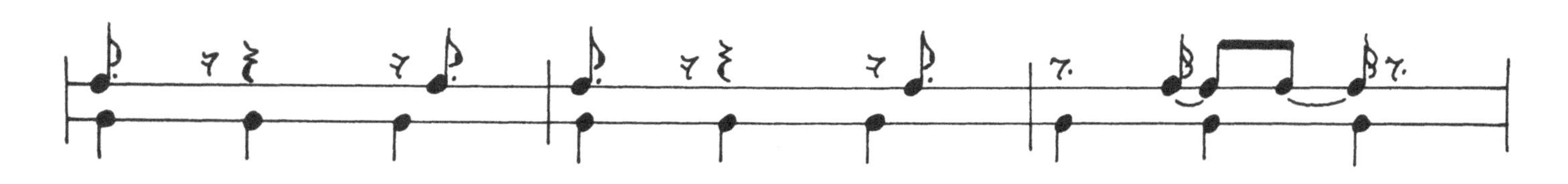

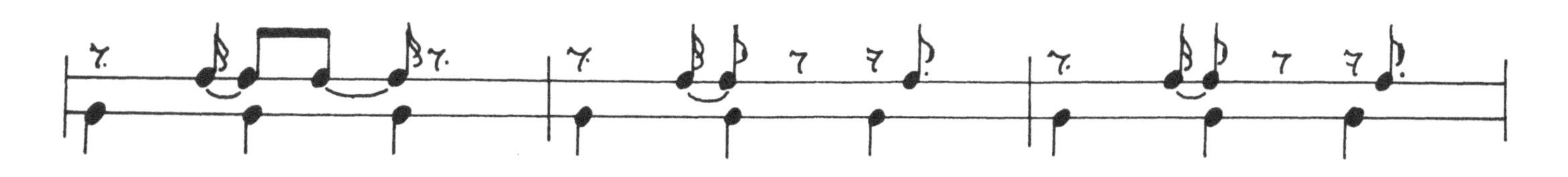

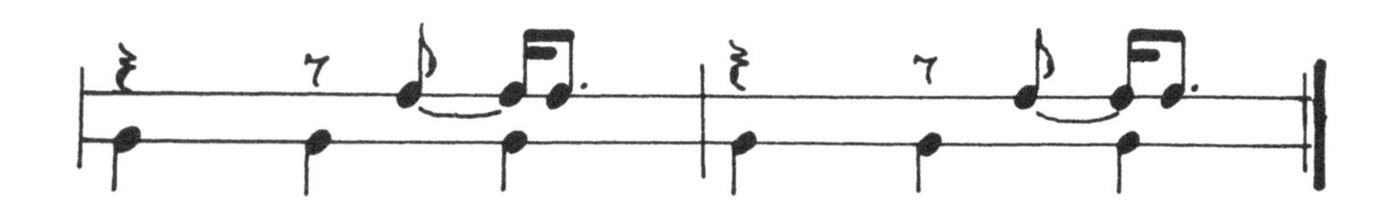

3
4
4
4
4
4
4
4
4
4
4
4
4
4
4
4
4
4
4

LEITURA Nº 3

Como realizar:

- cantar a voz superior
- bater a voz inferior com uma das mãos
- reger o compasso ternário

Neste exercício os ritmos aparecem alternadamente em ideia ternária e quaternária. Ao realizá-lo, o objetivo principal será sentir claramente a diferença de caráter entre as duas subdivisões. Tente sentir que a acentuação que você coloca sobre uma síncopa em relação ao 2º tempo do compasso, por exemplo, tem caráter totalmente diferente da acentuação que recai sobre o 2º tempo da subdivisão quaternária. Em outras palavras, quando você estiver cantando subdivisão quaternária, tem que estar sentindo a ideia quaternária.

3
4
4
4
4
4
4
4
4
4

4
4
4
4
4
4
4
4
4
4
4
4
4
4

LEITURAS Nºs 4 e 5

Como realizar:

- cantar a voz superior
- bater a voz inferior com uma das mãos
- reger o compasso quaternário

4
4

LEITURA Nº 6

Como realizar:
- cantar a voz superior
- bater a voz inferior com uma das mãos
- reger o compasso ternário

3
4

MÚSICA NA PERSPECTIVA

Balanço da Bossa e Outras Bossas – Augusto de Campos (D003)
A Música Hoje – Pierre Boulez (D055)
O Jazz, do Rag ao Rock – J. E. Berendt (D109)
Conversas com Igor Stravinski – Igor Stravinski e Robert Craft (D176)
A Música Hoje 2 – Pierre Boulez (D217)
Jazz ao Vivo – Carlos Calado (D227)
O Jazz como Espetáculo – Carlos Calado (D236)
Artigos Musicais – Livio Tragtenberg (D239)
Caymmi: Uma Utopia de Lugar – Antonio Risério (D253)
Indústria Cultural: A Agonia de um Conceito – Paulo Puterman (D264)
Darius Milhaud: Em Pauta – Claude Rostand (D268)
A Paixão Segundo a Ópera – Jorge Coli (D289)
Óperas e Outros Cantares – Sergio Casoy (D305)
Filosofia da Nova Música – Theodor W. Adorno (E026)
O Canto dos Afetos: Um Dizer Humanista – Ibaney Chasin (E206)
Sinfonia Titã: Semântica e Retórica – Henrique Lian (E223)
Música Serva d'Alma: Claudio Monteverdi – Ibaney Chasin (E266)
A Orquestra do Reich – Misha Aster (E310)
Música Errante – Rogério Costa (E345)
Para Compreender as Músicas de Hoje – H. Barraud (SM01)
Beethoven - Proprietário de um Cérebro – Willy Corrêa de Oliveira (SM02)
Schoenberg – René Leibowitz (SM03)
Apontamentos de Aprendiz – Pierre Boulez (SM04)
Música de Invenção – Augusto de Campos (SM05)
Música de Cena – Livio Tragtenberg (SM06)
A Música Clássica da Índia – Alberto Marsicano (SM07)
Shostakóvitch: Vida, Música, Tempo – Lauro Machado Coelho (SM08)
O Pensamento Musical de Nietzsche – Fernando de Moraes Barros (SM09)
Walter Smetak: O Alquimista dos Sons – Marco Scarassatti (SM10)
Música e Mediação Tecnológica – Fernando Iazzetta (SM11)
A Música Grega – Théodore Reinach (SM12)
Estética da Sonoridade – Didier Guigue (SM13)
O Ofício do Compositor Hoje – Livio Tragtenberg (org.) (SM14)
Música, o Cinema do Som – Gilberto Mendes (SM15)
Música de Invenção – Augusto de Campos (SM16)
Pensando as Músicas do Século XXI – João Marcos Coelho (SM17)
A Ópera Barroca Italiana – Lauro Machado Coelho (HO)
A Ópera Romântica Italiana – Lauro Machado Coelho (HO)
A Ópera Italiana após 1870 – Lauro Machado Coelho (HO)
A Ópera Alemã – Lauro Machado Coelho (HO)
A Ópera na França – Lauro Machado Coelho (HO)
A Ópera na Rússia – Lauro Machado Coelho (HO)
A Ópera Tcheca – Lauro Machado Coelho (HO)
A Ópera Clássica Italiana – Lauro Machado Coelho (HO)
A Ópera nos Estados Unidos – Lauro Machado Coelho (HO)
A Ópera Inglesa – Lauro Machado Coelho (HO)
As Óperas de Richard Strauss – Lauro Machado Coelho (HO)
Rítmica – José Eduardo Gramani (LSC)

Este livro foi impresso na cidade de Cotia,
nas oficinas da Meta Brasil,
para a Editora Perspectiva.